13.07.2012

60 verdades para administrar sua carreira

Dra. KAREN OTAZO

60
verdades para administrar sua carreira

SEXTANTE

Título original: *The Truth About Managing Your Career: ... And Nothing But the Truth*

Publicado originalmente por PH Professional Business, uma divisão da Pearson Education, Inc.

TRADUÇÃO: Cintia Braga
PREPARO DE ORIGINAIS: Rachel Agavino
REVISÃO: Flávia Midori, Hermínia Totti e Maria Beatriz Branquinho
PROJETO GRÁFICO E DIAGRAMAÇÃO: Marcia Raed
CAPA: Miriam Lerner
IMPRESSÃO E ACABAMENTO: Associação Religiosa Imprensa da Fé

CIP-BRASIL. CATALOGAÇÃO-NA-FONTE
SINDICATO NACIONAL DOS EDITORES DE LIVROS, RJ

O96s

Otazo, Karen L.
60 verdades para administrar sua carreira / Karen L. Otazo [tradução de Cintia Braga]. Rio de Janeiro: Sextante, 2010.

Tradução de: *The truth about managing your career: ... and nothing but the truth*
Inclui bibliografia
ISBN 978-85-7542-553-4

1. Profissões – Desenvolvimento. 2. Relações trabalhistas. 3. Orientação vocacional. I. Título.

CDD: 650.1
10-0887 CDU: 005.321

GMT Editores Ltda.
Rua Voluntários da Pátria, 45/1.404 – Botafogo
22270-000 – Rio de Janeiro – RJ
Tel.: (21) 2538-4100 – Fax: (21) 2286-9244
E-mail: atendimento@esextante.com.br
www.sextante.com.br

Para Napier Collyns, com gratidão
pelos insights e pela inspiração para este livro
e para os muitos outros que ainda virão.

Sumário

Prefácio

Você não precisa ler este livro do início ao fim. Em vez disso, passe os olhos por ele rapidamente, em busca dos pontos importantes para você. Descubra e ponha em prática aquilo de que precisa neste exato momento. Mais tarde, quando suas necessidades mudarem, recorra a ele outra vez.

As 60 verdades apresentadas aqui são bastante objetivas e funcionam em qualquer ordem. Cada uma delas traz diversas dicas para você ser bem-sucedido na vida profissional com confiança e competência.

Durante mais de 20 anos treinei executivos em diversas partes do mundo e em empresas das mais variadas áreas, desde enormes conglomerados a organizações sem fins lucrativos, e aprendi que alguns fatores que pavimentam a estrada para o crescimento profissional são recorrentes, independentemente do que você faça ou de onde trabalhe. Uma coisa invariável e de suma importância é o fato de você precisar administrar sua carreira de modo proativo. E, no momento em que pegou este livro, aceitou esse desafio.

60 verdades para administrar sua carreira o ajudará em qualquer etapa de sua vida profissional. Se estiver apenas começando, este livro o introduzirá no mundo dos negócios e lhe ensinará como as empresas funcionam. Se tiver uma carreira estabelecida, mas estiver passando por um momento de questionamento sobre para onde vai e o que quer, este livro poderá ajudá-lo a descobrir o caminho ou o nicho organizacional condizente com seus talentos. Se já tiver subido bastante na hierarquia profissional, ele pode fazer com que alcance níveis ainda mais altos. Se precisar tomar decisões sobre seu futuro, ele o ajudará a repensar sua carreira. E, se estiver aconselhando ou orientando outras pessoas, ele lhe oferecerá informações claras, concisas e instantaneamente úteis sobre as questões-chave de que precisa tratar.

Cada verdade se concentra em um fato da vida empresarial e mostra por que ele é importante em sua carreira. Conselhos práticos, ilustrados com histórias reais, mostram como aplicar cada uma das verdades à sua vida profissional.

Pense neste livro como seu atlas. Você sempre poderá usar as dicas que encontrar nestas páginas para chegar aonde deseja em seu plano de carreira. Ele mostra os perigos que podem atrasar seu progresso e até mesmo jogar você para fora da estrada, guiando-o pelas rotas mais rápidas e livres. Faça dele seu mapa em direção ao sucesso sem estresse. E aproveite a viagem!

KAREN OTAZO

PARTE I

A verdade sobre começar em um novo emprego

VERDADE 1

Começar com a corda toda pode lhe causar problemas

Quando você é contratado para um novo emprego, é comum ouvir que precisa "começar com a corda toda". Profissionais experientes que conseguem uma recolocação no mercado de trabalho após suas empresas terem reduzido o número de funcionários ouvem isso frequentemente. Acredita-se que eles não precisem de tempo para aprender a nova cultura e as regras do jogo, já que têm contatos, experiência e outros valores intangíveis. Ao ouvir isso, você pode se sentir tentado a colocar toda a sua energia no trabalho para causar uma primeira impressão positiva. Afinal, é preciso provar seu valor. Embora seu chefe provavelmente vá ficar satisfeito, essa atitude pode lhe causar vários problemas.

O principal deles é que, quando você começa com a corda toda, não sabe onde vai parar. Sua atitude pode provocar agitação entre os colegas, gerar um desequilíbrio na empresa ou até mesmo produzir desvantagens a longo prazo que você não viu inicialmente por causa da ansiedade. Quando se der conta delas, poderá ser tarde demais. Como novato no cargo, você estará em uma posição vulnerável, sem conhecimento prévio da situação, e precisará confiar nas orientações de seus chefes. No entanto, não há nenhuma garantia de que eles compreendam completamente a situação. As pessoas observam as coisas de seu próprio ponto de vista e, sem querer, podem se tornar cegas a perspectivas diferentes. Nesse caso, você precisa causar uma boa impressão sem pisar nos calos de ninguém.

A diretoria pode encarar a situação apenas do ponto de vista financeiro, sem entender o que está acontecendo nos níveis mais baixos da hierarquia. Foi o que aconteceu com Leroy. Ele era um gerente experiente na área de petróleo quando lhe pediram que cortasse os custos de uma operação offshore. Aceitou a tarefa e imediatamente conseguiu economizar muito, substituindo helicópteros por barcos no transporte dos funcionários das plataformas. Só se esqueceu de verificar como eles reagiriam à mudança. Para eles, era uma perda de quase dois dias do tempo livre que passavam com a família em sua "semana de folga", já que trabalhavam no esquema de sete dias embarcados e sete de folga. Ficaram tão furiosos que organizaram uma operação tartaruga e acionaram o sindicato. O resultado foi uma reação popular e uma publicidade extremamente negativa que poderiam ter sido evitadas com um pouco de trabalho preliminar.

Não importa quanta pressão venha sofrendo, vale a pena investir um tempo em estudos prévios, lendo cuidadosamente os arquivos, analisando a situação e conversando com as pessoas. É pouco provável que você tenha uma segunda chance. Inteire-se do ponto de vista dos outros, e não apenas da opinião de seu chefe.

Em vez de impressionar seus colegas de trabalho, chegar a um novo emprego querendo mostrar serviço na realidade pode contrariá-los. Funcionários que trabalham mais rápido do que os outros em linhas de montagem são chamados de "estraga-ritmo" e os gerentes de fábrica odeiam as repercussões causadas pela reação a eles. Mesmo que não trabalhe em uma fábrica, você ainda pode contrariar as pessoas se for rápido e longe demais sem aprovação. Os colegas podem ter medo de serem expostos e parecerem lentos quando comparados a você. Há também o risco de você perder oportunidades de descobrir o que eles pensam em relação ao projeto em questão. Sem colaboração inicial é difícil que sua ideia obtenha aceitação e apoio mais tarde. Existem poucas empresas em que é possível obter sucesso agindo individualmente, sem o apoio dos níveis mais baixos da hierarquia.

Com frequência o discurso corporativo de que você precisa começar com a corda toda esconde falhas na empresa. Desconfie especialmente se esta frase for acompanhada por pedidos do tipo "vá lá e dê um jeito nas coisas" ou "coloque tudo em ordem". Essas palavras indicam que algo está faltando em termos organizacionais. Caso não lhe seja dado tempo para se preparar para o trabalho, é bem possível que outras coisas também estejam sendo feitas de modo displicente. Pode ser que a empresa esteja buscando em você uma solução rápida, o que não é uma boa situação (a menos que você tenha sido contratado especificamente para isso). Os "solucionadores de problemas" podem se tornar descartáveis se forem usados para fazer o trabalho sujo e se transformar em bodes expiatórios caso as coisas não melhorem. Se você estiver assumindo realmente uma emergência, deve receber um salário à altura, como qualquer mestre da volta por cima receberia.

A menos que você seja um consultor contratado por um período preestabelecido ou um gerente interino, não importa quão depressa esperem que você conserte as coisas, sempre que começar um trabalho, procure antes obter informações e orientações de outros e pensar a longo prazo. Esses primeiros meses são cruciais para se preparar para o sucesso e para criar uma parceria duradoura com colegas, subordinados e superiores.

VERDADE 2

Feche a boca e não confie em ninguém: quanto menos você falar, mais aprenderá

Garotos que crescem em bairros perigosos aprendem rapidamente a "fechar a boca e a não confiar em ninguém". Isso pode fazer com que uma criança mais velha e mais forte pense que ele é "um cara esperto". Enquanto isso, ele observa e escuta, avaliando o modo como os outros se comportam, testando sua integridade e encontrando um meio de se adaptar ao grupo.

Essa estratégia também serve muito bem aos adultos em um novo ambiente de trabalho. Quanto menos você disser quando começar em um emprego, melhor se posicionará para aprender sobre a empresa, seu funcionamento, os colegas e o modo como eles interagem. Nos primeiros dias você deve apenas observar e ouvir, se expondo o mínimo possível. Afinal, ainda não sabe quem é quem, nem o que é o quê.

Nos primeiros dias você deve apenas observar e ouvir, enquanto se expõe o mínimo possível.

Fechar a boca não significa demonstrar mau humor nem ser reticente – o que pode levar os colegas de trabalho a pensarem que você é tímido ou grosseiro –, e sim evitar dar opiniões ou informações a menos que as pessoas peçam e, *quando* pedirem, dizer o mínimo possível. Não vai ser nada bom para você abrir a boca e depois descobrir que deu um fora, contrariando a crença arraigada de alguém importante sobre como uma empresa deve ser dirigida. Então, participe dos bate-papos, mas guarde suas ideias para si mesmo.

É sempre bom ter algumas respostas prontas para perguntas-padrão, como de onde você veio e se está gostando do novo emprego. Seja breve e gentil, dizendo o que diria a um estranho em uma "conversa de elevador" entre um andar e outro. Não revele muito sobre você mesmo até que se sinta à vontade com seus colegas e com a maneira de pensar deles. Quando tiver respondido, pode fazer perguntas educadas à outra pessoa sobre como as coisas são feitas "por aqui", aumentando seu conhecimento sobre o funcionamento da empresa.

Mas, e quanto a "não confiar em ninguém"? Você pode pensar que esse conselho soa um pouco paranoico. Nada disso! Encare-o como se estivesse maximizando suas oportunidades. Nos primeiros dias, você tem o privilégio de avaliar seus colegas e de pensar em como trabalhar com eles da melhor forma possível. Esteja preparado para pensar o pior, especialmente sobre aqueles com quem terá uma relação de trabalho muito próxima. Aproveite o fato de ser a pessoa silenciosa na sala para observar e ouvir seus colegas em diferentes circunstâncias. Depois processe e questione ativamente os "dados" que coletar. Reunir informações de maneira inteligente ajudará você a saber em quem pode confiar e a encontrar estratégias para lidar com aqueles em relação aos quais não tem tanta certeza.

Procure algumas pistas estratégicas. Seus colegas falam mal de pessoas que não estão presentes? Em caso positivo, saiba que podem fazer o mesmo com você. Eles revelam informações confidenciais sobre a empresa? Então, é possível que deixem escapar suas ideias e pensamentos. Mudam seu discurso dependendo do interlocutor? Então, pode ser difícil saber se lhe contaram a história toda ou apenas a parte que queriam que você soubesse.

A tática de "fechar a boca e não confiar em ninguém" é uma forma sensata de se proteger no trabalho e é útil não apenas quando você estiver começando em um novo emprego, mas também no dia a dia. Aplique-a sempre que precisar de tempo para avaliar uma nova situação.

VERDADE 3

Depois de se mudar, cresça onde você está plantado

Todo bom jardineiro sabe que os primeiros momentos após o transplante de uma muda ou arbusto são cruciais. Trocar uma planta de lugar pode fazer com que até a mais resistente delas entre em choque, pois as raízes levam tempo para se adaptar ao novo solo. As mudanças podem afetar as pessoas do mesmo modo que afetam as plantas. Onde quer que trabalhemos, criamos raízes na forma de hábitos, costumes e relacionamentos. Quanto mais tempo ficamos num lugar, mais arraigados nos tornamos. Quando mudamos de emprego, a adaptação ao novo ambiente pode ser difícil.

A chave para uma mudança bem-sucedida é o total comprometimento com o lugar onde você foi replantado. Você precisa esquecer seu antigo local de trabalho, o modo como as coisas eram feitas lá, e criar raízes na nova empresa, mostrando lealdade e gratidão. A menos que lhe perguntem, não é uma boa ideia sequer mencionar o antigo emprego. Muitas vezes você pode se sentir tentado a comparar o novo trabalho com suas experiências anteriores, especialmente se viveu bons momentos e tinha muito conhecimento sobre as antigas tarefas. No entanto, fazer isso em público pode lhe trazer problemas.

Wally, um gerente de projetos, costumava recorrer a seu chefe para resolver conflitos entre departamentos. Quando começou no novo emprego, ficou chocado ao descobrir, entre outras coisas, que não poderia mais fazer isso. Todos os dias, falava a seus novos colegas: "Na AT&T, meu chefe dizia..." ou "Na AT&T, meu chefe fazia assim...". Além de não conseguir evitar as comparações, ele também acreditava que, se desse muitas dicas, seus colegas começariam a agir de outro modo. Mas isso não aconteceu. No início alguns ficaram apenas irritados, mas logo todos riam pelas costas dele. Apesar de Wally ter se adaptado à cultura da nova empresa depois de algum tempo, desenvolvendo um bom relacionamento com chefes e colegas, sua atitude inicial, que criava atritos desnecessários, atrasou consideravelmente sua integração.

As pessoas em seu novo local de trabalho se interessarão por sua habilidade e eficiência, mas não vão querer ser comparadas a seus antigos empregadores, por mais importantes que eles tenham sido em sua formação. Não se trata apenas de evitar comparações abertas. As críticas veladas, tais como a surpresa com a ineficiência do sistema de TI, ou como era motivador o fato de seu antigo empregador pagar por uma semana de treinamento anual, também provocarão uma reação negativa. Sua intenção pode ser dar sugestões úteis, mas elas não serão vistas dessa forma. Os recém-chegados precisam conquistar o direito à crítica mostrando que conhecem a empresa.

Não compare seu novo local de trabalho ao antigo.

Seus novos colegas estarão observando como você se adapta. O fato de ter tido sucesso em um emprego anterior não significa que será automaticamente bem-sucedido no novo. Não importa quanto você domine suas tarefas, pode haver atritos com as normas e valores da nova empresa. Joyce, por exemplo, saiu de uma firma anglo-holandesa com uma cultura de consenso estabelecida para uma organização americana de cultura empreendedora, mas continuou esperando que as decisões fossem tomadas com o aval de todas as partes envolvidas, independentemente de quanto tempo esse processo levasse. Sua intenção era boa, mas os colegas viam seu comportamento consciencioso como perda de tempo, ou pior, obstrução. Foram precisos alguns conselhos sinceros para colocar Joyce no caminho certo. Agora ela desfruta a liberdade de ação que seu novo cargo oferece.

Em vez de ficar olhando para seu próprio passado, aprenda sobre a ética e o passado da nova empresa. Fale com as pessoas que ocuparam seu cargo antes, pergunte sobre a experiência delas. Você não precisa repetir a história – apenas respeite-a, o que também poderá lhe trazer vantagens. Por exemplo, se puder citar como a empresa cuidou do desenvolvimento do pessoal no passado, será capaz de mostrar que faz sentido dar continuidade a esses valores, lhe oferecendo treinamento agora.

Os recém-chegados precisam conquistar o direito à crítica mostrando que conhecem a empresa.

Você prova ser parte da nova empresa quando demonstra lealdade e apoio em relação a seus novos colegas. Em vez de sofrer com a perda de seu chefe solidário ou de sistemas eficientes, encare as coisas de modo positivo e concentre-se naquilo que *realmente* funciona. Então, depois de ter cumprido com suas obrigações, pode aplicar sua energia em tornar as coisas ainda melhores, trabalhando em conjunto com os outros, e não contra eles.

VERDADE 4

Aproprie-se de seu emprego sem pisar nos calos de ninguém

Há 40 anos, Robert Ardrey, escrevendo sobre o "imperativo territorial", surpreendeu seus leitores ao demonstrar que, quando se trata de demarcar "território", os humanos não são muito diferentes dos animais. Podemos não morder os estranhos, fazer xixi nos postes nem reivindicar nosso espaço uivando (sobretudo no escritório), mas queremos que os outros saibam claramente quem somos, o que sabemos e de onde vem nossa influência.

Ao começar em um novo emprego, é fundamental que você encontre e reivindique seu "território": as tarefas, questões e decisões pelas quais será responsável e a forma como as realizará. No entanto, ao provar sua capacidade, é importante que você não pise nos calos de ninguém. Esse é o momento de estabelecer relacionamentos profissionais com os outros, e não de arrumar inimigos. Todas as outras pessoas já estão na empresa há mais tempo que você e terão suas próprias opiniões quanto ao modo de fazer as coisas. Você precisa descobrir como demonstrar respeito por elas ao mesmo tempo que tenta convencê-las a lhe ceder o controle, para poder fazer diferença.

Um primeiro passo importante é obter uma ideia da cultura da empresa – dos vários hábitos coletivos que formam seu *modus operandi* – e se esforçar para se adaptar a eles. Os funcionários conversam durante o expediente? Saem para almoçar ou comem em suas mesas de trabalho? Vão até a mesa dos outros quando têm uma pergunta ou enviam um e-mail? Se você observar o modo como todas essas pequenas coisas são realizadas e agir de acordo, perturbará menos como recém-chegado e provavelmente provocará menos ressentimentos.

Um primeiro passo importante é obter uma ideia da cultura da empresa.

Assim que chegar, preencha sua agenda com reuniões e conversas, envolvendo o maior número possível de pessoas. Não espere que os outros venham até você. Apresente-se, pergunte-lhes sobre seu trabalho e sua opinião em relação a assuntos importantes. Porém, espere até ter algo concreto a discutir antes de pedir que pessoas muito ocupadas interrompam suas atividades para falar com você, para que não sintam que estão perdendo tempo.

Alguns calos são mais sensíveis do que outros. Há dois tipos de pessoas com as quais você deve ser especialmente cuidadoso: aquelas que, de algum modo, consideram seu trabalho parte do território delas, como, por exemplo, quem ocupava o cargo antes de você ou desenvolvia o projeto antes de sua chegada e as diretamente abaixo de você na hierarquia, que podem sentir que sabem mais do que você ou até mesmo terem almejado seu cargo. Em ambos os casos, torne a comunicação inicial a mais neutra possível. Faça-lhes perguntas abertas, resistindo à tentação de dar sua opinião, a menos que a peçam. Respeite-as e tenha consideração por seus pontos de vista – o que não significa que você seja obrigado a segui-los.

Resista à tentação de dar sua opinião, a menos que a peçam.

Como recém-chegado, você sempre deve começar a partir do que já se encontra disponível. Antes de fazer qualquer modificação, ouça os outros e seja simpático. Mesmo que seja um grande especialista e tenha sido contratado por causa de suas habilidades, você não pode deixar de incluir os colegas e de respeitar a forma como eles fazem as coisas.

VERDADE 5

Descubra quem sabe o quê: construa seu círculo de informações

Houve um tempo em que, quando você precisava de informações, sabia aonde ir. Se ninguém em sua empresa pudesse ajudar, um profissional remunerado o faria. As informações se concentravam nas mãos de alguns poucos especialistas, tais como advogados, bibliotecários e consultores financeiros, com títulos e áreas de conhecimento bem definidos. Esses profissionais ofereciam soluções prontas para a maioria das necessidades.

Hoje em dia, na "era da informação", podemos encontrar o que queremos em diversas fontes. Os poucos especialistas confiáveis de antes agora se transformaram em uma variedade de opções. Há mais especializações. Um perito legal não domina mais todas as questões relativas a leis, e uma grande firma de consultoria não consegue lidar com todos os assuntos administrativos. Com menos ênfase em diplomas e títulos e mais em experiência prática, agora é mais difícil avaliar rapidamente o conhecimento das pessoas. E este conhecimento está acessível de várias formas – por meio da internet, de e-mails ou telefone –, tornando menos importante a localização física dos consultores. Apesar da amplitude de informações disponíveis – ou justamente por causa dela –, obter a informação correta pode ser confuso e demorado.

É aí que entra um bom "círculo de informações": um grupo variado de pessoas, contatos reunidos ao longo do tempo, que conhecem sua maneira de pensar e que estarão disponíveis quando você precisar deles. Você pode confiar neles para fornecerem informações corretas quando quiser contratar um novo funcionário, aprender a fazer negócios com uma cultura diferente ou alavancar sua marca. Você também pode aprender com seus contatos discutindo com eles suas ideias, planos e problemas.

É importante ter fontes de informação dentro e fora da empresa.

Quando o assunto for confidencial, alguém de fora pode ser a melhor opção, já que as pessoas de dentro podem inadvertidamente revelar alguma coisa aos outros. Você também deve se assegurar de ter alguns "orientadores" que não sejam apenas parentes ou amigos propensos a concordarem com você, mas indivíduos que o desafiarão e questionarão. Eles não precisam ser especialistas, desde que compreendam você e sua empresa.

É importante ter fontes de informação dentro e fora da empresa.

Com isso, você terá um círculo interno e outro externo ou profissional. O primeiro consiste em algumas pessoas em quem você pode confiar plenamente e que sabem ouvir seus pensamentos mais profundos. Seus membros devem lhe demonstrar lealdade e não ter medo de questioná-lo. Seu círculo profissional é mais amplo, feito de todas as pessoas, dentro e fora da empresa, incluindo especialistas, a quem você pode acionar em busca de informações ou ajuda em questões complicadas. Seus membros não são fixos. É possível incluir pessoas adequadas a cada nova situação.

Você pode construir seu círculo de informações pedindo recomendações a sua rede de contatos, verificando o histórico e a experiência das pessoas com o auxílio da internet e então trazendo a bordo as que serão úteis. Teste-as, envolvendo-as em um pequeno projeto ou usando a abertura que normalmente é dada por uma indicação para fazer algumas perguntas por telefone. Quando encontrar pessoas adequadas, profissionais ou não, cultive esses relacionamentos entrando regularmente em contato com elas, valorizando sua orientação e mantendo-as informadas. Seria bom procurá-las quando não estiver precisando desesperadamente de ajuda, para que sejam receptivas quando esse for o caso. No entanto, evite recorrer sempre aos mesmos indivíduos, ou pode acabar ficando dependente demais de alguém ou vendo as coisas apenas por uma perspectiva.

Examine constantemente seu círculo de informações para verificar se essas pessoas ainda são adequadas às suas necessidades. Elas lhe respondem com presteza? Se esforçam para mantê-lo informado? Oferecem respostas profissionais, que provam terem parado para entender sua situação? Os outros ainda respeitam a opinião delas? E, finalmente, mas não menos importante, elas mantêm em sigilo as informações confidenciais e são suficientemente leais para não falar de você pelas costas? Se um perito disser algo sobre você nas pistas de esqui da Suíça, essa informação pode chegar a seu concorrente em Nova York. Vivemos em um mundo pequeno, e a internet é muito ativa!

VERDADE 6

Saiba em quem confiar para não se queimar

Quando você começa em um novo emprego, como em qualquer relacionamento, há um período de conquista de confiança. Se você e seus colegas quiserem que seu relacionamento profissional seja eficaz, precisam desenvolver confiança mútua. Essa reciprocidade é essencial para o ambiente profissional; por mais eficiente que você seja, não pode fazer seu trabalho sozinho. Se não puder contar com o apoio de seus colegas, pode acabar tendo grandes problemas.

Não há nenhuma fórmula para se gerar confiança. Ela é, antes de tudo, um sentimento, algo que se desenvolve gradualmente por meio de experiências compartilhadas. No entanto, ao se construir relacionamentos profissionais, pode ser útil considerar cuidadosamente que tipo de confiança você deve depositar em cada pessoa. Por exemplo, o tipo de confiança que você deve ter em um atendente ou assistente é muito diferente daquele que deve ter em um colega com quem está trabalhando em uma nova ideia capaz de gerar controvérsias.

Há quatro tipos principais de confiança em que você deve pensar quando trabalhar com outras pessoas:

– **A confiança no desempenho** consiste em saber que os outros cumprirão com seus compromissos dentro do prazo e do orçamento, e que o avisarão caso haja qualquer risco de atraso. É especialmente importante estabelecer esse tipo de confiança em assistentes ou em qualquer pessoa a quem você delegue tarefas. Você pode testá-la fazendo pequenas solicitações e observando quando e como as pessoas os realizam. Com isso, saberá em quem poderá confiar quando aparecer um projeto crucial com um prazo inflexível. Você pode criar e manter o clima de confiança no desempenho deixando claro que as pessoas devem vir até você caso não tenham certeza de poderem cumprir os prazos assim que essa possibilidade surgir.

– **A confiança na perícia** significa acreditar no conhecimento ou na habilidade especial de alguém. É um tipo de confiança fundamental, que você deve ter em todos os especialistas com quem trabalha. Tenha certeza de que os conselhos deles estão corretos, e o conhecimento, atualizado. Por exemplo, quando contratar um consultor para uma joint venture em Hong Kong, certifique-se de que sua experiência é posterior à passagem da região à administração chinesa, ou ela será de pouca utilidade. Os consultores devem ser capazes de lhe dar um relatório confiável e abrangente assim que você pedir – ou, o que seria o ideal, antes mesmo que você peça. Você deve confirmar com outros as informações recebidas até que confie plenamente em alguém.

– **A confiança na compreensão política** vem da certeza de que seus colegas compreendem as normas do local de trabalho e conhecem as regras do jogo organizacional. Está ligada à confidencialidade e à discrição e é importante em qualquer colega com quem você for trabalhar de modo estratégico. O fato de ser bom em executar tarefas ou ser um especialista em sua área não faz com que alguém mereça confiança na compreensão política. Seu colega cheio de ideias maravilhosas e criativas pode não estar consciente da importância de manter essas mesmas ideias em segredo até que vocês tenham preparado seu chefe, e pode deixar escapar algo que impeça a concretização de seus planos. A confiança na compreensão política é construída aos poucos, ao longo do tempo, à medida que você observa o comportamento de seus colegas quando estão com outras pessoas.

– **A confiança estrutural** é necessária sempre que você trabalhar com alguém de outro departamento da empresa. Ela é construída quando você sabe que a outra pessoa coloca os interesses da organização acima dos seus próprios e dá crédito a outros departamentos em vez de reivindicá-lo apenas para si mesma. O desenvolvimento de uma confiança estrutural completa é complicado, já que os recursos normalmente são esparsos e os interesses dos diferentes departamentos muitas vezes não coincidem. No entanto, você pode gerar uma boa confiança profissional estabelecendo previamente uma estrutura clara, em vez de dar um salto no escuro. Se precisar dividir uma comissão com alguém de outra equipe, por exemplo, vocês devem concordar com a porcentagem antes de se unirem para abordar um cliente.

Todas as ocasiões, por mais modestas que sejam, em que você lidar com outras pessoas são chances de testar a confiabilidade delas. Se alguém não se mostrar confiável, pense duas vezes antes de pedir sua ajuda em relação a qualquer assunto importante no futuro. Na vida empresarial não há muito tempo nem espaço para segundas chances.

PARTE II

A verdade sobre como lidar com chefes

VERDADE 7

Respeite seu chefe: vale a pena fazer as coisas do jeito dele

Em alguns países, os funcionários submetem seu próprio perfil ao de seus chefes, esforçando-se para ajudá-los a criar uma boa imagem ou até mesmo fazendo o trabalho deles ou falando em seu favor, para tirá-los de situações complicadas. Essas práticas podem parecer estranhas e até mesmo inadequadas ao ambiente empresarial. Ainda assim, um bom relacionamento com seu chefe faz toda a diferença em seu crescimento profissional. Se o chefe acreditar que você tem em mente o melhor para ele, se comprometerá mais com seu sucesso.

Todos os bons relacionamentos requerem esforço. Talvez você seja um dos poucos que têm a sorte de ser abençoados com uma ótima comunicação com seu chefe, experimentando uma perfeita harmonia de pensamentos e no modo de trabalhar. Porém o mais provável é que o relacionamento de vocês tenha sua cota de conflitos e mal-entendidos. Você gostaria de receber mais ou menos orientação, gostaria de ser ouvido, gostaria que ele compreendesse o que você diz.

É tentador supor que seu chefe deveria notar quando as coisas não estão funcionando. Afinal, o trabalho dele é justamente gerenciar você. Lembre-se, porém, de que seu gerente imediato provavelmente tem mais de um subordinado e que não mudará seus hábitos apenas para agradá-lo. Você, ao contrário, tem apenas um ou dois chefes e pode se esforçar para se adaptar às suas necessidades. Respeitar seu chefe significa descobrir o que funciona para ele e se adaptar a isso, em vez de esperar que ele descubra como trabalhar com você. Se puder sutilmente provocar uma mudança para melhor, ele notará a diferença e terá uma imagem mais positiva de você. Em uma grande organização, a admiração de um chefe é o veículo para que notícias sobre sua capacidade e sucesso corram em direção ao topo da hierarquia da empresa.

Jean, trabalhando na Ásia, tinha uma chefe do outro lado do mundo que parecia concentrar toda sua atenção nas pessoas mais próximas. Ele telefonava toda semana para a chefe para conversar sobre trabalho, mas, para sua frustração e apesar de seus esforços, ela quase nunca se lembrava da conversa anterior, não importa quantas vezes as informações fossem repetidas.

Então Jean tentou uma nova tática. Criou uma lista de discussões com questões estratégicas e, com isso, encontrou um motivo para visitar a sede com mais frequência. Com a folha à sua frente, a chefe de repente ficou muito mais "esperta", percorrendo os itens um a um, considerando as informações e aceitando claramente as ideias de Jean. Ele agora usa a "lista estratégica" com sua chefe pessoalmente e por telefone. E ela passou a vê-lo como uma pessoa mais inteligente e confiável e também como um membro leal e fiel da equipe.

Cada pessoa capta as informações de uma forma diferente. A maioria dos executivos, como a chefe de Jean, prefere visualizá-las. Se alguma abordagem não funcionar uma vez, descubra em que formato seu chefe gostaria de receber as informações em vez de tentar outras vezes do mesmo modo. Uma lista por escrito, um gráfico ou um relatório verbal? Atualizações regulares ou apenas um relatório final? Pergunte diretamente a ele ou apenas observe seus hábitos – o que fizer você se sentir mais à vontade.

A comunicação pode ser um processo bidirecional, mas uma das partes pode alterar muito sua dinâmica. Será bom para você tomar a iniciativa, estratégica mas sutilmente, na comunicação com seu chefe. Seus atos podem ser bem recompensados. Respeitar o modo como seu chefe faz as coisas não somente constrói um relacionamento de trabalho mais eficiente, que servirá aos dois nos processos empresariais do dia a dia, mas também fará com que ele encare o fato como expressão de sua lealdade e compromisso. Assim será mais provável que ele proteja e recompense você por esse tipo de comportamento caso a empresa passe por dificuldades.

VERDADE 8

Seu chefe pode ajudar a construir sua reputação ou destruí-la completamente

Quando você sente que merece um aumento, precisa resolver um conflito ou está pronto para uma promoção, quem procura primeiro? Gostando ou não, é seu chefe.

Em todas as empresas, exceto nas menores, a pessoa diretamente acima de você na hierarquia tem mais influência sobre sua carreira do que qualquer um, por mais que você cultive relacionamentos com pessoas influentes em níveis mais altos. É seu chefe quem faz sua avaliação anual, analisando seu desempenho em relação às metas. Ele também ajuda a decidir seus bônus e aumentos. Além disso, extraoficialmente, ele conversa com muitas outras pessoas na empresa, em lugares aos quais você não tem acesso. Portanto, é preciso garantir que ele sempre fale de você de modo positivo – e no maior número de ambientes possíveis.

Obviamente, quanto mais seu chefe conhecê-lo, melhor poderá descrever seu valor e potencial para os outros. Assegure-se de que ele tenha sempre boas coisas a dizer a seu respeito, criando oportunidades de conversar com ele sobre carreira, seja formal ou informalmente, para mantê-lo bem informado sobre suas conquistas, preocupações e desafios.

Um chefe pode ajudar você com mais do que apenas contar essas coisas boas. Quando os problemas surgirem, o apoio dele pode ser uma carta na manga. Em um conflito entre colegas, por exemplo, sobre questões como espaço no escritório ou divisão de comissões, ele agirá como seu advogado e até mesmo como seu porta-voz para aliviar a tensão e resolver os problemas. Mesmo que as coisas não terminem do jeito que você queria, ele pode confirmar que você tentou resolver tudo, mantendo sua reputação intacta.

Tudo isso é ótimo se você tiver um bom relacionamento com seu chefe, mas, se não tiver, se torna mais complicado. Se ele se sentir afrontado ou se claramente não gostar de você, não vai elogiá-lo e pode até mesmo prejudicar sua imagem em público. É muito importante não adquirir a reputação de "funcionário-problema" por causa do que seu chefe diz. Por isso, seja cuidadoso e busque oportunidades de conseguir o apoio dele. Sempre que puder, vale a pena elogiá-lo na frente dos outros e reconhecer o que ele fez por você, como, por exemplo, "meu chefe realmente abriu as portas para mim nesse caso".

Não importa o que você pense sobre seu chefe, aja sempre com respeito.

Você alimenta o apoio mútuo com suas palavras. Reforce o comportamento desejado mostrando a seu chefe muito respeito em público quando ele tratar você bem, por exemplo, mas comporte-se de modo neutro quando acontecer o contrário. Sempre que possível, agradeça a ele por todo o apoio recebido, mesmo que tenha sido mínimo. Não importa o que você pense sobre seu chefe, aja sempre com respeito e procure meios de fazer com que ele sinta ter um bom relacionamento com você.

A utilidade de seu chefe depende em parte de quanto os outros o respeitam. Você pode avaliar a aceitação dele observando quem está em sua rede de contatos no local de trabalho. Se sentir que o que ele diz não é bem aceito, pode ser bom estabelecer relações com outras pessoas que estejam no mesmo nível que ele, pedindo a opinião delas em projetos importantes, por exemplo.

No mundo inteiro, a qualidade do relacionamento entre chefe e subordinado é a principal razão pela qual as pessoas gostam de seu trabalho ou sentem que devem mudar de emprego. Concentre-se constantemente em fortalecer esse laço, esforçando-se para desenvolver um relacionamento de confiança e apoio mútuo.

VERDADE 9

Beije o anel: a hierarquia é importante

Uma vez alguém perguntou a um frequentador dos altos círculos do governo americano como lidar com pessoas importantes que não se suporta. A resposta foi: "Coloque no rosto uma expressão de respeito e não pisque." Essa estratégia é conhecida nos círculos empresariais como "beijar o anel". Sua origem remonta a uma época muito antiga, quando realeza e clérigos usavam anéis de ofício denotando seu status. Curvar a cabeça e beijar o anel era um modo de demonstrar respeito pelo cargo, embora não necessariamente se sentisse o mesmo por seus ocupantes.

Por que se esforçar em mostrar deferência por alguém de quem você não gosta ou nem sequer respeita? Na selva do mundo dos negócios, assim como na esfera política, trata-se de simples sobrevivência ou, de um ponto de vista mais positivo, de defender seus interesses de forma educada. Quer você goste ou não, o mundo profissional é estruturado sobre um forte sistema hierárquico. Por que outra razão teríamos tanta fixação em conquistar promoções e títulos melhores? Os que estão no topo podem ter uma influência significativa em sua reputação e carreira: positiva, se gostarem de você e o virem jogando de acordo com as regras, ou negativa, se de algum modo se sentirem diminuídos por você. Demonstrar-lhes o devido respeito ajuda a eliminar os obstáculos ao seu crescimento profissional.

Por que se esforçar em mostrar deferência a alguém de quem você não gosta ou nem sequer respeita?

"Beijar o anel" pode significar reagir de modo neutro quando alguém importante disser alguma insensatez em uma reunião. Ou manter uma atitude positiva mesmo que seu chefe não entenda o que você está tentando dizer ou fazer. Por mais irritado ou surpreso que se sinta, mantenha sua expressão gentil e livre de negatividade, como se estivesse num jogo de pôquer e não quisesse revelar sua mão. Vale a pena praticar em frente ao espelho, para que fique mais fácil fazer isso quando for necessário.

"Beijar o anel" não tem nada a ver com bajulação. Significa simplesmente respeitar a posição mais elevada de seus superiores e a responsabilidade que ela acarreta, e compreender que o ego deles é tão sensível quanto o de qualquer outra pessoa. Em princípio, não há nada de errado em dizer a um deles que pode haver uma forma melhor de fazer as coisas, mas não deixe de pensar de maneira estratégica e não reaja impetuosamente, em especial na presença de outras pessoas. Se estiver sinceramente preocupado com alguma coisa, pode ser melhor abordar o assunto em particular e de modo neutro, sem fazer uma tempestade em copo d'água. Você pode fazer isso falando como se a coisa não tivesse tanta importância: "Aliás, o que você pensa de...?" ou "Eu poderia defender um ponto de vista diferente?".

Será que existem também momentos em que não se deve "beijar o anel"? Com certeza. Assim que algo lhe parecer minimamente imoral ou ilegal, você deve parar e pensar. Não tire conclusões precipitadas, mas uma vez que tenha confirmado que algo errado está acontecendo, faça todo o possível para se desvincular da situação antes de ter problemas. Por exemplo: se for norma da empresa que a pessoa de cargo mais alto em um jantar pague a conta, você pode muito bem hesitar caso lhe peçam para assumir a despesa para que seu chefe não precise colocá-la em seu relatório de gastos. A ilegalidade é algo que você sempre deve relatar, sem exceções. Alguns dos ex-funcionários da Enron, hoje na cadeia, provavelmente se arrependem de não terem denunciado o problema ou até mesmo se demitido, em vez de terem se calado.

"Beijar o anel" é um entre uma ampla gama de comportamentos respeitosos que fará com que você seja bem-visto pelas pessoas do alto escalão. No círculo militar, isso se chama "bater continência". Em algum momento de sua carreira, você precisará engolir sua revolta e mostrar deferência a um superior que não suporta. Prepare-se para isso.

VERDADE 10

Você pode aprender muito com um chefe ruim

Você já teve um chefe ruim? Se a resposta for sim, considere-se uma pessoa de sorte. Acredite ou não, aprende-se muito quando se tem que lidar com um chefe assim por um curto período. No entanto, este é o segredo: *apenas por um curto período*. Embora muito tempo de convivência cause desgaste, alguns meses podem funcionar como um treinamento prático, dando-lhe um arsenal de ferramentas que vão ajudá-lo a lidar com o mau comportamento de chefes, colegas e outras pessoas no futuro. Isso pode até tornar você um chefe melhor, não somente trazendo a experiência de administrar personalidades difíceis de perto, mas também lhe dando uma clara noção do tipo de comportamento a ser evitado quando estiver em uma posição de autoridade.

Ter um chefe ruim pode fazer você se tornar um chefe melhor.

Os maus chefes aparecem em todas as formas e tamanhos. Enquanto os piores têm explosões horríveis, mudam de ideia a cada momento ou discordam de qualquer iniciativa sua, há muitos outros que são apenas um pouco irritantes, manipuladores ou distantes. Em vez de permitir que um chefe ruim desperdice seu tempo e sugue sua energia, use os maus hábitos dele como treinamento para aperfeiçoar sua própria habilidade de administrar pessoas. Aqui estão três dos defeitos mais comuns dos chefes e as estratégias para usá-los a seu favor:

– Delegar no último minuto: Quando você é organizado, não há nada mais irritante do que seu chefe subitamente lhe pedir que faça um monte de tarefas para o dia seguinte. Especialmente se você planejava sair à noite.

Ação: Em vez de se queixar ou resmungar, comece a administrar proativamente as atribuições delegadas por seu chefe, mostrando sempre interesse nos projetos prioritários que surgirem. Ofereça-se de imediato para ajudar com alguns deles. Isso não só reduz as surpresas desagradáveis, deixando você no controle do jogo, mas também faz com que seu chefe o veja como alguém que está cuidando de seus interesses.

– Microgerenciamento: Alguns chefes parecem estar o tempo todo no pé de seus funcionários, incapazes de deixá-los fazer seu trabalho sem interrupções, o que pode ser irritante, se interpretado como falta de confiança.

Ação: Não encare esse tipo de comportamento como pessoal. Em vez disso, pense em seu chefe controlador como alguém que precisa ver todos os detalhes para se sentir seguro. Administre essa necessidade de modo a assumir o controle da situação. Comece mantendo uma lista de todas as suas tarefas, marque as que já foram concluídas e acrescente novas sempre que falar com ele. Você também pode pedir que seu chefe defina prioridades altas, médias e baixas, direcionando sua energia para as altas em primeiro lugar. Seu chefe o perturbará menos quando tiverem feito esse detalhamento prévio juntos, pois saberá com o que você está se ocupando, liberando-o para fazer as coisas ao seu modo por algum tempo.

É seu papel se adaptar aos métodos de trabalho de seu chefe, e não o contrário.

– Querer que tudo seja feito do jeito dele: Às vezes um chefe insiste em uma forma de trabalhar muito diferente da adequada para você. Essa diferença de estilo pode causar tensão, confusão e problemas de relacionamento a longo prazo.

Ação: O desafio aqui é forçar um sorriso, tolerar as imposições e se adaptar às circunstâncias, por mais irritantes que sejam. Como subordinado, é seu papel se adaptar aos métodos de trabalho de seu chefe, com todas as suas falhas, e não o contrário. Então, por exemplo, se ele gostar de ver tudo por escrito, reserve um tempo para escrever, mesmo que prefira conversar sobre o assunto. Fazendo isso, você terá o prazer e o orgulho de desenvolver e valorizar a inestimável capacidade de se adaptar, o que será útil em outras situações, ajudando-o a trabalhar e a se comunicar bem com pessoas de muitos estilos e hábitos diferentes. E, a curto prazo, seu chefe o verá como alguém mais esperto e eficiente.

PARTE III

A verdade sobre como trabalhar com outras pessoas

VERDADE 11

Executivos prósperos sempre têm crédito com as pessoas

Nos anos 1950, os supermercados americanos criaram planos de fidelidade que consistiam em dar ao consumidor, a cada compra, selos verdes para serem colecionados em álbuns e depois trocados por prêmios. Mesmo depois de esse sistema ter sido substituído, as pessoas faziam piadas sobre "ganhar e usar selos verdes" nos relacionamentos interpessoais. Você ganhava selos apoiando as pessoas ou dando a elas aquilo de que precisavam e os usava quando se comportava mal ou pedia favores especiais.

Essas transações acontecem o tempo todo no ambiente de trabalho. Porém, os métodos se desenvolveram e hoje é mais provável que usemos a expressão "ter crédito" quando falamos de relacionamentos. Você ganha créditos com os colegas quando eles ficam satisfeitos com o modo como são tratados. Mas, à medida que você estressa alguém ou coloca um relacionamento à prova, você perde pontos. Executivos sensatos mantêm seus créditos, não apenas com colegas e chefes, mas também com assistentes. Normalmente essas pessoas não são notadas nem recebem qualquer agradecimento, mas podem fazer toda diferença quando você precisar realizar alguma coisa. No entanto, o crédito não é regido pela filosofia de "toma lá, dá cá". Cada coisa que você faz para ganhar pontos é um investimento para o futuro.

Você pode ganhar crédito diariamente, ao mostrar verdadeiro interesse pelas contribuições dos outros, o que significa ouvi-los, fazer perguntas, apoiá-los e valorizar suas ações, mesmo com um simples obrigado. Já que as informações são uma importante moeda de troca no trabalho, você pode ganhar muitos pontos com alguém, inclusive com subordinados, se o mantiver informado sobre pessoas e acontecimentos. Outra possibilidade é pedir orientações a pessoas que gostem de oferecê-las. Socializar-se – passar tempo com as pessoas – também costuma ser uma forma fácil de aumentar seu crédito.

Você ganha crédito mostrando verdadeiro interesse pela contribuição dos outros.

Algumas coisas valem mais pontos do que outras, de acordo com o modo como o outro avalia o que você fez por ele. Você ganha muito crédito quando livra um colega de problemas ou abre as portas certas para que alguém tenha acesso a uma pessoa importante dentro ou fora da empresa.

Por outro lado, você usa seu crédito quando pede favores, informações, apoio, mais verba ou prorrogação de prazo para os projetos. Novamente, a quantidade de pontos perdidos depende de quanto a questão é importante para a outra pessoa. Denegrir a imagem de alguém pode resultar em uma grande perda. Para alguns, qualquer questionamento ou recriminação subtrai pontos imediatamente. Para outros, isso apenas faz parte dos negócios. Então, trate a todos cuidadosamente até que tenha sondado o suficiente sobre eles para compreender como se sentem em relação a esse tipo de comportamento. Você também deve ser extremamente cauteloso quando estiver estressado: um crédito mantido com todo o cuidado pode ser rapidamente perdido por algumas palavras ou reações agressivas. No calor do momento, você pode nem perceber que está agindo de modo inapropriado, mas os outros perceberão.

Executivos promissores sempre mantêm seus créditos para poderem usá-los quando houver necessidade. É só uma questão de bom faro comercial.

VERDADE 12

Apreciar a diversidade aumenta a admiração dos outros por você

É fascinante ver como os hábitos aprendidos na infância perduram na vida adulta, afetando profundamente o modo como vemos o mundo. Durante os primeiros anos de vida, nossa mente constrói modelos sobre como as coisas devem ser. Esses modelos mentais são tão fortes que, mesmo após passarem muitos anos em um país no qual a direção fica do lado oposto do carro, a maioria dos americanos ainda precisa pensar duas vezes sobre qual é o banco do carona!

Modelos mentais entram em ação todas as vezes que nos encontramos com alguém desconhecido ou fazemos algo novo. Eu me lembro bem de um debate com um diretor de diversidade americano, responsável por garantir a igualdade de direitos e justiça entre funcionários de idade, origem étnica e sexo diferentes. Ele sentia que uma mulher do Oriente Médio não estava comprometida com o assunto, porque não se mostrava suficientemente entusiasmada. O que o executivo precisava aprender é que o modelo mental americano de comprometimento – o grande entusiasmo – não é obrigatoriamente válido para todas as culturas e grupos, entre eles as mulheres árabes.

Hoje em dia, a maioria das empresas declara seu compromisso com a diversidade, ansiosa por assegurar que funcionários de todas as origens sejam compreendidos e respeitados. Mas quantas pessoas que adotaram essa política realmente entendem o que significa apreciar a diversidade? A verdade é que não se trata apenas de incluir os outros porque isso é politicamente correto, mas de se conscientizar de que eles agem, se comunicam e pensam de modo diferente do seu, e que compreender e cultivar essas diferenças agregará valor a seu trabalho.

Quantas pessoas sabem realmente o que significa apreciar a diversidade?

Quanto maior a amplitude de ideias e opiniões geradas, mais os colegas de trabalho estimularão uns aos outros e aprenderão com suas diferenças. Observar a forma de comunicação e os métodos de trabalho preferidos das pessoas à sua volta, sejam individuais ou culturais, em vez de tentar impor seu estilo, resultará não somente em uma equipe mais feliz, mas também em maior produtividade. Esses são os fatores que provam aos chefes que você está realmente no controle da situação e que é digno de respeito.

Vejamos a história de Fred. Ele trabalha em Kuala Lampur para uma grande empresa americana. Há alguns anos, notou que seus funcionários malaios conversavam animadamente entre si e claramente tinham ideias interessantes, mas era raro se pronunciarem nas reuniões. Fred investigou a razão para esse comportamento. Com a ajuda de um colega nativo, descobriu que os malaios achavam difícil se expressar em inglês sem preparação prévia, e não se sentiam bem ao terem de falar na frente dos fluentes americanos.

Então Fred criou um sistema que funcionaria para todos. As ideias seriam recebidas bem antes de cada reunião e uma pauta seria elaborada e apresentada com antecedência, para que todos se sentissem prontos para discuti-la. A partir daquele momento, a conversa passou a fluir nas reuniões e o grupo se desenvolveu. A iniciativa de Fred os levou não somente a um melhor trabalho em equipe, mas também a resultados impressionantes que fortaleceram seu perfil junto à sede americana.

Fred estava trabalhando de modo intercultural, mas sua atitude seria igualmente eficaz em um ambiente puramente americano. A regra básica é nunca supor que os outros apresentarão seus pensamentos ou reagirão às circunstâncias do mesmo modo que você. Forçá-los a fazer isso apenas causa mal estar e compromete a motivação. Em vez de interpretar a falta de participação como passividade, pergunte a seus colegas se sua abordagem funciona para eles, ou em que formato gostariam de receber as informações. Faça adaptações de acordo com as diferenças, estabelecendo regras básicas para assegurar que as preocupações e contribuições de todos os colegas sejam incluídas e reconhecidas.

Ao mesmo tempo, nunca suponha que alguém vai agir de modo diferente só porque vem de outro país ou tem outra cultura. Não há nada mais exasperante do que ver alguém falar muito devagar com um visitante estrangeiro, apenas para ouvir essa pessoa responder fluentemente no idioma do anfitrião. A postura ideal é estar aberto às necessidades ou diferenças das pessoas, sem nunca abordá-las com suas próprias expectativas preconcebidas.

Trabalhar para uma grande empresa significa administrar a comunicação através de todos os tipos de barreiras e em meio a uma gama enorme de personalidades. Incluir significa trabalhar para garantir que você obterá o melhor de todos. Não é apenas seguir políticas, mas abrir mão de seus próprios modelos mentais e tratar todos os colegas com a mesma generosidade e compreensão que gostaria de receber.

VERDADE 13

Ser um bom ouvinte significa sintonizar-se com seu interlocutor

"Se tivéssemos sido criados para falar mais do que ouvir, teríamos duas bocas e um só ouvido." Você já deve ter ouvido essa frase ou outras parecidas diversas vezes. Mas esse também é um conselho importante para a vida profissional. "Ele não ouve" é uma das queixas mais comuns em relação a colegas e chefes. E, quando você não escuta, as pessoas pensam que não se importa.

"Ele não ouve" é uma das queixas mais comuns em relação a colegas e chefes.

Talvez você se importe, mas simplesmente não consiga se concentrar muito bem no que os outros dizem, ou talvez tenha muita certeza de *realmente* ouvir. O segredo, porém, não é o que de fato você faz, mas como isso é percebido – ou seja, se os outros *acham* que você está ouvindo. Há várias razões para as pessoas acharem que você não está prestando atenção a elas, desde seu contato visual à sua linguagem corporal, passando pelo modo como reage verbalmente.

A boa notícia é que, independentemente de ter ou não nascido um bom ouvinte, você pode usar técnicas que o tornam melhor aos olhos dos outros. As técnicas de escuta ativa estão todas relacionadas à "sintonia", o que significa estar completamente presente quando alguém estiver falando e não fazer nada além de ouvir. Pode ser útil pensar em si mesmo como o dial de rádio, sintonizando-se à estação da outra pessoa para ouvi-la claramente e sem interferências. Se fizer isso, qualquer pessoa que esteja se dirigindo a você vai apreciar seu esforço para compreendê-la.

É importante se afastar das distrações quando estiver ouvindo alguém. Atualmente somos bombardeados com todos os tipos de competição à boa escuta, desde prazos até o telefone e a internet. O ato de relaxar o corpo, colocando-se em uma posição confortável, também ajuda a abrir "espaço para sintonia" no cérebro. Manter o contato visual tem o mesmo efeito. Imagine que seu rosto é um satélite se movendo para ficar de frente para o interlocutor. Os ouvintes podem assentir com a cabeça para assegurar aos outros que estão atentos, mas os interlocutores tendem a olhar para seu rosto buscando segurança, então lembre-se de manter o contato visual.

A sintonia assume diferentes formas de acordo com cada pessoa. Algumas se sintonizam "visualizando" o que ouvem e podem precisar olhar para o espaço para prestar atenção. Outras precisam fazer alguma coisa com o corpo, como mexer os pés, bater com o lápis ou rabiscar. Se você for uma dessas pessoas, é importante informar ao interlocutor que está olhando para o espaço ou desenhando não por estar entediado mas porque isso o ajuda a se concentrar no que ele diz.

O modo como você reage ao interlocutor é uma prova adicional de que você está ouvindo. Uma resposta rápida demais pode fazer com que as pessoas sintam que você não está pensando sobre o que eles acabaram de dizer. Esperar três segundos após alguém terminar o discurso lhe dá tempo para se sintonizar com suas palavras e também mostra que você não estava apenas esperando por uma pausa para falar. Repetir algumas palavras e ideias do interlocutor e fazer perguntas esclarecedoras também são indicadores de um ouvinte "sintonizado".

Para ouvir de verdade, você precisa se sintonizar com mais do que apenas seus ouvidos, se desligar das distrações e demonstrar aos outros, por meio de palavras ou atos, que está atento ao que estão dizendo.

VERDADE 14

A crítica compassiva é a que funciona melhor

O livro de Dale Carnegie *Como fazer amigos e influenciar pessoas* foi publicado pela primeira vez em 1936 e ainda hoje, várias décadas depois, é um sucesso. Como isso aconteceu? Uma das melhores lições de Carnegie ressalta que é fundamental fazer com que as pessoas se sintam importantes e apreciadas, mesmo quando você estiver pedindo que mudem sua maneira de agir.

A crítica faz parte da vida profissional. Todos nós temos que fazer e receber críticas, sejam oficiais, por meio de avaliações, sejam informais e diárias, da parte de nossos superiores. No entanto, as aceitamos em diferentes graus. Se você pensar em suas próprias experiências, provavelmente verá que os momentos em que recebeu melhor as críticas foram aqueles em que alguém pareceu de fato se importar com seu bem-estar. Você saiu da discussão com uma sensação positiva do que precisava fazer em seguida. Esse tipo de feedback pode ser resumido por "crítica compassiva". Carnegie era mestre nisso.

Ele nos mostra como ajudar alguém a mudar, encorajando essa pessoa a ver a situação de modo objetivo, e não sob a ótica dos sentimentos pessoais. Você assume uma posição imparcial, comportando-se não como um crítico negativo, mas como um mediador positivo, ajudando a pessoa a se conscientizar da diferença entre os antigos comportamentos inadequados e os novos e vantajosos para ela mesma. Se você descrever o comportamento atual sem qualquer raiva ou julgamento, poderá orientar as pessoas em direção a modos diferentes de pensar ou de trabalhar, sem ofendê-las ou lhes causar ressentimento.

A primeira etapa da crítica compassiva é a observação cuidadosa. Antes de dizer qualquer coisa, tire algum tempo para pensar como descrever a atitude do outro de modo neutro. Pode ser útil imaginar que seus olhos e ouvidos são uma câmera de televisão, gravando objetivamente os atos dessa pessoa. Em seguida, descreva a ela o que você vê, oferecendo um segundo panorama que poderia funcionar melhor, de modo que a diferença entre a atitude atual e a aperfeiçoada seja evidente. Muitas vezes é útil dar um exemplo de uma ocasião em que a pessoa tenha demonstrado a atitude desejada, o que demonstra sua confiança nela e confere um tom positivo à crítica.

A primeira etapa da crítica compassiva é a observação cuidadosa.

A etapa final é discutir com ela um modo de mudar seu comportamento, concentrando-se na criação de um novo panorama em vez de ressaltar o negativo. Por exemplo, quando falar com alguém que tem a tendência de fazer as coisas na última hora, você pode dizer: "Quando você tenta improvisar, parece nervoso, mas notei que, quando se prepara bem, faz excelentes apresentações. Mesmo que nem sempre tenha tempo para praticar tudo, já pensou em ensaiar várias vezes apenas o começo e o final?"

Um novo panorama é o segredo da crítica compassiva. Psicólogos demonstraram que, se você tentar convencer as pessoas a não pensarem em elefantes cor-de-rosa, é exatamente nisso que elas pensarão! Entretanto, se você lhes pedir que pensem, por exemplo, em carros vermelhos, elas imediatamente pararão de pensar em elefantes, porque há outro quadro em sua mente. Do mesmo modo, no ambiente de trabalho, se disser às pessoas que parem de fazer alguma coisa, sua reação instintiva, emocional e psicológica será tomar a defensiva. Elas continuam a fazer as mesmas coisas, ou se concentram tanto em não fazê-las que seu comportamento pode parecer antinatural ou forçado. É essencial criar um novo quadro para provocar uma mudança positiva.

VERDADE 15

A pontualidade conta muito: comece e termine reuniões na hora marcada

Um executivo chinês de meia-idade é esperado em uma reunião em Pequim. Preso em um engarrafamento, ele olha repetidamente para o relógio. Por fim, salta do táxi e corre os últimos poucos quarteirões, driblando pedestres, carros e bicicletas. Quando chega à reunião, suado e em desalinho, fica horrorizado ao ver que se atrasou três minutos. Desculpando-se profusamente, toma seu lugar.

O significado de "pontualidade" difere bastante em várias partes do mundo. Para esse executivo chinês, era imprescindível chegar na hora exata à reunião. Para a maioria dos ocidentais, seria perfeitamente aceitável chegar cinco ou dez minutos atrasado. No entanto, onde quer que estejamos, chegar na hora certa às reuniões é uma parte importantíssima da eficiência.

As reuniões são unidades de tempo importantes na vida empresarial. A menos que haja um atraso ou impedimento inevitável, a expectativa geral é de que elas comecem e terminem na hora marcada. Qualquer coisa diferente disso pode passar a ideia de que você não se importa de verdade com o tempo das pessoas.

Pode ser que você se considere bastante pontual, mas pense bem: se uma reunião estiver marcada para as 14 horas, você se programa para chegar exatamente a essa hora ou chega um pouco mais cedo, calmo e composto, pronto para o compromisso? Há uma diferença. Se sempre tentar chegar em cima da hora, é mais provável que haja um imprevisto e que você acabe se atrasando. O fato de chegar atrasado, mesmo que apenas cinco minutos, não somente faz com que perca informações importantes, mas também o torna menos capacitado a participar da reunião. Na pior das hipóteses, você se sentirá estressado e nervoso ou no mínimo não terá a oportunidade de se acomodar e de acalmar seus pensamentos para fazer o seu melhor. Chegar atrasado mais de 10 ou 15 minutos pode ser interpretado como um sinal de desrespeito ou até mesmo de jogo de poder, então, resista à tentação de atender a mais um telefonema ou de verificar seus e-mails antes de sair do escritório, por mais ocupado que esteja.

Quando é você que está presidindo a reunião, tem não apenas a responsabilidade, mas também o poder de começar e terminar na hora. Não seja condescendente com os outros, deixando que cheguem atrasados. Começar na hora mostra seu profissionalismo e prova que você e a reunião são importantes. Logo no início, você pode declarar a hora exata em que a reunião terminará. Não importa que a conversa esteja ótima, concluir uma reunião na hora certa é eficiente, pois faz com que as pessoas se concentrem e possam comparecer a outros compromissos. Se realmente houver mais pontos a serem vistos, a discussão pode continuar por e-mail ou na próxima reunião. Se for fundamental continuar no mesmo dia, você deve indicar de antemão que há a possibilidade de a reunião ser estendida. Se achar que pode se perder na discussão, peça a alguém que bata à porta cinco minutos antes da hora marcada, para lembrá-lo de encerrar o encontro.

Terminar uma reunião na hora faz com que as pessoas se concentrem e possam comparecer a outros compromissos.

Começar e terminar reuniões na hora marcada é um jeito fácil e notório de construir sua reputação de profissional confiável e no controle das situações. Chegar pontualmente, ou até mesmo um pouco mais cedo, é a melhor maneira de brilhar como participante. Não perca essa oportunidade.

VERDADE 16

A confidencialidade é importante

Durante a Segunda Guerra Mundial, um slogan dos Aliados dizia: "Loose lips sink ships" (Línguas soltas podem afundar navios). O objetivo era lembrar tanto cidadãos civis quanto membros das Forças Armadas de que um comentário informal poderia ter consequências trágicas. O silêncio era a única forma de garantir que as informações não caíssem em mãos inimigas. Qualquer coisa mencionada a um amigo ou conhecido podia ser passada adiante para outra pessoa menos amistosa, que por sua vez poderia usar a informação para fins perigosos. O melhor era não falar nada.

Pode ser que não estejamos em pé de guerra no trabalho e que deixar algo escapar não tenha um impacto tão desastroso, mas é aconselhável manter uma atitude semelhante em relação à disseminação de dados. As transações da vida empresarial resultam em muitas informações confidenciais, e você só terá conhecimento de algumas delas. Não contar o que sabe protegerá a empresa, as pessoas que nela trabalham e sua própria reputação.

Há três grupos principais de informações que você precisa guardar. Em um nível mais amplo, informações gerais sobre o *modus operandi* de sua empresa: números, estratégias e projetos. Dentro da organização, elas podem ter circulação livre, mas é uma boa prática não compartilhá-las fora de suas instalações, a menos que estejam prontas para serem divulgadas ao público em geral, como, por exemplo, no relatório anual. O segundo grupo é composto pelas informações específicas sobre negociações e acordos em andamento. Muitas vezes você não deve falar sobre elas com ninguém que não seja de sua equipe imediata, muito menos de fora da empresa. Finalmente, há os fatos sobre indivíduos, tais como salário e detalhes pessoais, que não devem ser compartilhados com quase ninguém. Mesmo em empresas em que tudo está acessível a todos no servidor, o arquivo pessoal é o único protegido por senha.

Administrar a confidencialidade significa guardar esse tipo de informação a sete chaves até que você esteja numa situação em que divulgá-la seja adequado. Não há regras fixas, mas o princípio geral da "necessidade de saber" funciona bem: o momento de revelar informações confidenciais é quando você precisa da ajuda das pessoas para trabalhar em algo que as envolva. O trabalho em equipe se torna complicado se todos não tiverem conhecimento das questões e dos fatos. A coisa fica ainda mais difícil se você estiver trabalhando com um consultor ou parceiro externo. Pode ser que algumas pessoas sempre deixem escapar informações, mais por descuido do que por maldade. Faça com que assinem acordos de confidencialidade e dê a elas orientações para serem passadas às suas equipes.

Não existe conversa confidencial. Você precisa tomar algumas precauções sensatas sem se tornar paranoico. Nunca discuta nada confidencial em lugares públicos, como restaurantes e aviões, já que não saberá quem está por perto. E jamais fale com a imprensa sem se preparar, para não revelar algo inadvertidamente. Nada está realmente "em off" para a maioria dos repórteres.

Uma conversa confidencial é algo que não existe.

Quando se pensa em confidencialidade, pode-se fazer uma analogia com um interruptor. Muitas pessoas parecem ter botões liga/desliga quando se trata de disseminar informações. Uma vez tendo começado a dizer alguma coisa, acabam revelando tudo e repetindo o feito em outros lugares. É mais seguro imaginar-se girando gradualmente seu botão para baixo e para cima, revelando as informações nos níveis que julgar apropriados. Confie em seus instintos. Se tiver a sensação de que está dizendo ou prestes a dizer algo controverso (por exemplo, às vezes uma pessoa "levanta as orelhas" e demonstra curiosidade em relação a algo que você acreditava que ela já soubesse), dê atenção ao fato e gire seu botão para baixo, levando a conversa em outra direção.

PARTE IV

A verdade sobre o networking

VERDADE 17

Um bom networking tem a ver com uma conversa agradável

Em algumas culturas, o networking é um estilo de vida. Na Ásia, por exemplo, os cartões de visita são trocados assim que as pessoas se conhecem, definindo quem são, suas posições e qualquer possível vínculo, pois todos sabem que é a rede de contatos que cria a reputação. Nas culturas ocidentais, as pessoas são mais cuidadosas e reticentes em relação a se imporem aos outros, preocupando-se em não tornar seu networking óbvio demais, o que pode fazer com que pareçam hesitantes e tensas, a menos que estejam entre conhecidos.

Napier Collyns, cofundador da organização de networking Global Business Network, é um especialista em forjar conexões. Ele sustenta que o melhor estado mental para a criação de uma rede de contatos é "estar interessado nas pessoas e em suas ideias" e então "humildemente apresentá-las a outros conhecidos seus". Para Collyns, o networking se transforma em algo mecânico se for feito apenas em interesse próprio. O segredo é se concentrar nas necessidades das outras pessoas, deixando as suas em segundo plano. Você terá a oportunidade de trazê-las à tona depois que o relacionamento estiver estabelecido, por isso concentre-se em conhecer a outra pessoa, em desfrutar sua companhia e em descobrir o que pode oferecer a ela.

O networking se transforma em algo mecânico se for feito apenas em interesse próprio. O segredo é se concentrar nas necessidades das outras pessoas.

Collyns diferencia o networking passivo do ativo. O passivo acontece sempre que você fala com alguém. O ativo se refere a falar com as pessoas tendo um propósito específico em mente. Quanto mais tempo você investir no primeiro, passando a conhecer as pessoas no dia a dia, mais forte se tornará sua rede de contatos, e mais fácil será começar o networking ativo. Toda essa conversa coloca você em posição de apresentar pessoas que podem se beneficiar mutuamente – e, é claro, a você também!

Os criadores de redes de contatos realmente hábeis fazem isso o tempo todo, pois adoram conversar com as pessoas e descobrir suas histórias. Este é o segredo do networking passivo. Desencavar as origens e os interesses das pessoas ajuda a descobrir os pontos em comum e a dar início a um histórico de conversas. Mesmo que você não seja naturalmente sociável, ainda assim descobrirá que, se respirar fundo e seguir em frente, fazendo perguntas simpáticas, quase sempre o resultado será uma conversa agradável. A maioria das pessoas gosta de falar de si mesmas e recebe bem qualquer oportunidade de fazer isso.

Quando você souber de algo além das amenidades, será mais fácil se lembrar de alguém. Bons criadores de networking mantêm um catálogo mental das pessoas que conheceram, lembrando quem se interessa pelo quê, quem gostaria de fazer contato com quem, ou quem apenas gosta de uma conversa interessante. Um sistema de catalogação de cartões de visitas pode ajudar. Assim que você voltar de um evento, releia todos os cartões que tiver recebido, vendo o que consegue lembrar sobre cada pessoa. Escreva as informações no verso dos cartões enquanto o encontro ainda estiver fresco em sua mente. Assim, da próxima vez que encontrar alguém que estiver procurando um consultor para ajudá-lo em um empreendimento no Oriente Médio, por exemplo, pode ser que você saiba quem indicar. Não se esqueça de também ter seus próprios cartões à mão.

Aqueles que são motivados por puro interesse são facilmente reconhecíveis, pois muitas vezes soam falsos, até mesmo manipuladores. São pessoas que olham para além de você quando apertam sua mão. Não deixe que os outros tenham essa impressão de você. Para isso, concentre-se totalmente em cada conversa e demonstre às pessoas o interesse que elas merecem.

VERDADE 18

As pessoas adoram que peçam a opinião delas

Não importa o assunto, quase todas as pessoas a quem você perguntar terão algo a dizer sobre ele. Isso faz parte da natureza humana: ter uma opinião nos ajuda a definir nossa identidade e é o que nos diferencia e ao mesmo tempo nos liga uns aos outros. Felizmente temos, todos os dias, diversas oportunidades de expressar nossos pontos de vista, seja escrevendo para um jornal, mantendo um blog, ou sentando-se num bar para conversar com os amigos. Também contribuímos com nossas ideias na esfera pública, participando de pesquisas de opinião e de eleições.

Pedir opiniões é uma das melhores maneiras de se ligar aos colegas de trabalho. As pessoas adoram quando perguntamos o que elas pensam porque isso faz com que se sintam importantes e valorizadas e lhes permite falar sobre si mesmas enquanto alguém ouve com interesse. Além disso, dar sua opinião é muito fácil: não há necessidade de estudo ou preparação, nem de fundamentá-la, já que é simplesmente um ponto de vista, não um teste de conhecimento.

Pedir opiniões é uma das melhores maneiras de se ligar aos colegas de trabalho.

Quando você quiser realizar alguma coisa no trabalho, pedir opiniões é um jeito de conseguir o apoio e a aprovação dos outros. Melhor ainda, consultar formadores de opinião – altos executivos e chefes de departamentos importantes – pode ajudar a fazer com que suas ideias ganhem terreno na empresa. Se você falar com pessoas-chave suficientes, poderá, ao mesmo tempo, ajudá-las a compreender sua proposta ou intenção e ter uma boa noção da impressão geral sobre o assunto. Munido com o feedback delas, você será capaz de produzir um documento para discussão, informando suas ideias tanto aos que opinaram quanto ao restante da organização, gerando mais diálogo. Esse documento será levado muito mais a sério se contiver outras opiniões além da sua.

Esse processo de pesquisa de opiniões funciona bem mesmo quando não há um projeto específico a promover. Ele pode ajudá-lo a se posicionar como alguém que faz perguntas oportunas e que se importa com o futuro da empresa.

Quando estiver reunindo opiniões, o segredo é formular perguntas abertas, de forma que as pessoas tenham oportunidade de falar bastante, fornecendo boas informações. Uma pergunta do tipo "Como estão as coisas desde a reestruturação do sistema de TI?" inicialmente pode ter uma resposta genérica ou indefinida. Você pode então pedir exemplos, perguntar pelos resultados da mudança e por impactos positivos e negativos. Também pode sondar sinais não verbais, como hesitação ou dar de ombros. Nesse caso, não há nenhum problema em perguntar: "Você parece meio hesitante, poderia me falar mais sobre isso?"

Em dois meses se interessando pelas opiniões das pessoas, você vai estabelecer mais relacionamentos do que conseguiria em dois anos tentando fazê-las se interessar pelo que você faz. Além de as informações obtidas lhe serem úteis de diversas maneiras, as iniciativas que você tomar com base nelas mostrarão que você respeita de verdade o que essas pessoas têm a dizer. Pedindo opiniões a todos ao seu redor, você só tem a ganhar.

VERDADE 19

Você está conectado a mais pessoas do que imagina

Stanley Milgram, um pesquisador da Universidade de Yale, fez várias experiências inusitadas nos anos 1960. Uma delas consistia em selecionar um nome desconhecido em um estado americano distante e pedir a aproximadamente 300 estudantes que tentassem obter o contato dessa pessoa. Ele descobriu que o maior número de indivíduos com quem seus alunos precisavam falar para achar qualquer pessoa, em qualquer lugar do país, era seis. Apesar da teoria do Dr. Milgram ainda não ser cientificamente comprovada, sua conclusão chegou à cultura popular. Por isso é comum ouvirmos dizer que há apenas "seis graus de separação" entre cada um de nós e quase todas as pessoas no mundo. Que recursos fabulosos nós temos!

É comum ouvirmos dizer que há apenas "seis graus de separação" entre cada um de nós e quase todas as pessoas no mundo.

Então, como você pode usá-los no local de trabalho? Não seria exagero dizer que você pode se informar sobre quase qualquer coisa ou realizar quase tudo a partir de seus contatos em potencial. Alguém por aí sabe o que você precisa aprender ou pode ajudá-lo com o que tem que fazer. Se quiser encontrar a melhor pessoa para um projeto ou obter apoio para uma iniciativa no local de trabalho e ainda não conhecer alguém que possa ajudá-lo, a primeira providência é começar a fazer perguntas.

Um alto executivo queria ser apresentado a algumas pessoas influentes em Washington, D.C., para conseguir apoio à criação de uma lei da qual sua empresa precisava desesperadamente. Ele então mapeou todas as pessoas que conhecia na organização e pediu a elas que fizessem uma relação de suas ligações diretas e indiretas com membros do governo. Em seguida, pediu para ser apresentado a algumas dessas pessoas de modo a poder falar com elas diretamente. Ele logo descobriu quem poderia fazer as apresentações necessárias.

Comece com o networking que você já tem. Ele é composto por todos os colegas de trabalho que você acredita poder abordar com uma pergunta ou assunto. Pode ser um pequeno grupo de pessoas que pensam da mesma forma e que você tenha conhecido ao longo dos anos, desde amigos de escola e professores universitários a antigos colegas de trabalho. Você pode confiar nas pessoas com quem tem um bom relacionamento para apresentá-lo a outros contatos que elas respeitem e em quem confiem.

Uma vez feitas as apresentações, a internet tornou mais fácil do que nunca obter informações e conselhos ou exercer influência. Sua rapidez e facilidade a tornam um meio ideal de fazer contato com pessoas em qualquer lugar do mundo. Saiba, porém, que quando alguém estiver pessoal ou geograficamente longe de você, é bom colocar uma "moldura" ou explicação em torno de seu pedido, para ajudá-lo a compreender sua forma de pensar. Use também um tom mais formal e não deixe de verificar os protocolos de comunicação e networking em outros países.

Um executivo americano perspicaz queria contratar um gerente geral para administrar os negócios da empresa na China. Seu primeiro passo foi pedir indicações a todos os que conhecia em Pequim, Xangai e Hong Kong. Em seguida verificou essas sugestões com os headhunters. Tendo encontrado a pessoa ideal, usou sua rede de contatos recém-ampliada para convencer o profissional em questão de que o cargo era perfeito para ele. Impressionado pela oferta e pelas *guanxi*, ou relações, do americano, o executivo chinês aceitou o emprego.

Há vários exemplos de como usar a regra dos seis graus de separação para ajudar a fazer as coisas acontecerem. Os contatos são infinitamente úteis no trabalho e essenciais em algumas culturas. Usá-los bem não diz respeito apenas a acessar fatos, conhecimentos ou pessoas. Quem tem diferentes origens ou experiências também pode ajudar você a pensar sobre seu trabalho e suas ideias, oferecendo outros pontos de vista. Isso é inestimável.

VERDADE 20

Os pontos em comum fortalecem os relacionamentos

Todos nós temos algo em comum com a maioria das pessoas que conhecemos, desde secretárias a presidentes de empresas. Descobrir essas afinidades é um modo muito eficiente de construir bons relacionamentos profissionais. Isso vale para as pessoas com quem você se relaciona há algum tempo, aquelas a que acabou de ser apresentado e até mesmo as que ainda não conhece, mas com quem gostaria de entrar em contato.

Os pontos em comum estendem os relacionamentos para além das trocas de informações básicas da vida profissional, que tendem a acontecer em um nível cerebral impessoal. Encontrar formas de tocar as pessoas onde seus valores e experiências são importantes para elas ajuda você a criar laços pessoais mais fortes. Cada um de nós possui partes de sua origem e interesses que pode enfatizar para se relacionar com os outros: onde cresceu, onde trabalhou, para onde viajou, até mesmo o que leu ou estudou, ou o time para o qual torce.

Frieda, uma jovem gerente que trabalha no exterior, estava frustrada com o fato de "estar fora da sede tornar tão difícil ser notada em uma multinacional cheia de funcionários". Depois de observar como os mentores tinham ajudado outros jovens executivos em sua empresa, ela decidiu que precisava do mesmo tipo de apoio. Mas o que poderia fazer se nunca tinha trabalhado na sede nem conhecido nenhum dos altos executivos? Ela tinha feito um MBA executivo na Universidade de Stanford, então decidiu usar essa experiência para encontrar um mentor. Resolveu entrar em contato com outras pessoas da empresa que também tivessem estudado em Stanford.

Ela marcou reuniões com todos os executivos de sua empresa que constassem dos anuários da universidade para conversar sobre sua carreira. Após uma rodada de encontros, durante os quais pediu ajuda para que fosse apresentada na sede, encontrou um mentor. Ele abriu as portas para que Frieda pudesse discutir sua carreira com pessoas do alto escalão da empresa. Após um ano e meio, ela foi promovida a gerente no país onde trabalha e está perfeitamente orientada para o cargo que almeja obter. Ela admite que foi difícil fazer as coisas acontecerem, mas que, depois de ter pedido ajuda, tudo ficou mais simples.

As conexões podem ser estabelecidas tanto direta como indiretamente. Uma abordagem direta é fazer perguntas às pessoas, em especial durante eventos sociais. Cada um deles é uma oportunidade de fazer contatos, e, diferentemente do local de trabalho, tudo o que se espera que você faça nesses eventos é bater papo. Quando estiver em posição de conversar com alguém, descubra – respeitando os limites da boa educação – o suficiente sobre seu passado e seus interesses para poder mostrar que tem experiências, opiniões ou qualificações semelhantes. E não se esqueça de manter contato com as pessoas que lhe são apresentadas. Vale a pena sempre ter cartões de visita e trocá-los quando conhecer pessoas novas.

Todo evento social é uma oportunidade de fazer contatos.

Abordagens indiretas envolvem pesquisa e observação. Pergunte a seus contatos sobre pessoas estratégicas ou faça uma pesquisa sobre elas na internet antes de encontros profissionais ou festas. Você se surpreenderá com a variedade de informações disponíveis, tanto no âmbito pessoal quanto no profissional. Uma observação diária cuidadosa também fornece ótimas dicas sobre pessoas que você ainda não conhece bem. Que objetos decorativos eles têm em suas salas? Que livros estao lendo? Que fotos estão sobre suas escrivaninhas?

Sempre há um meio de encontrar alguma coisa em comum com as pessoas. Até mesmo os problemas de saúde podem ser uma afinidade. Por exemplo, se durante um jantar de negócios você e o colega ao seu lado forem alérgicos a camarão ou a vinho tinto, vocês podem começar uma conversa com base nas fortes reações que os dois têm a essas coisas!

VERDADE 21

O bate-papo é um lubrificante social

Em uma situação profissional, o bate-papo significa qualquer tipo de conversa que não esteja focada no trabalho – sejam brincadeiras feitas ao se chegar pela manhã, diálogos na hora do cafezinho, ou conversas introdutórias com clientes antes de se abordar diretamente os negócios em uma reunião. No entanto, não se deixe enganar: sua capacidade de se engajar em conversas informais pode ter uma grande influência em seus relacionamentos profissionais.

Sua capacidade de se engajar em conversas informais pode ter uma grande influência em seus relacionamentos profissionais.

Os bate-papos podem vir em seu socorro quando você não souber exatamente o que dizer a estranhos ou até mesmo conhecidos, mas quiser dar início ou continuidade a um diálogo. Eles permitem que você se identifique com os outros e faça com que se sintam à vontade. Nunca acredite que a conversa informal é uma perda de tempo quando sua mente estiver concentrada em trabalho. No começo de uma reunião de negócios, falar sobre o tempo ou um acontecimento atual pode fazer com que a conversa flua mais facilmente, melhorando a qualidade da discussão séria que acontecerá em seguida.

Haverá momentos em que o bate-papo será a principal meta de um evento, como, por exemplo, uma recepção noturna ou um programa esportivo. Os parceiros ou clientes frequentemente podem ser convidados. Quando esse for o caso, pode ser tentador e parecer natural falar de negócios, pois tendemos a nos envolver facilmente em discussões ligadas a trabalho e a dinheiro. Em algumas culturas, no entanto, é inaceitável falar abertamente sobre dinheiro, sexo, política ou outros assuntos polêmicos. Se você fizer isso com clientes britânicos, por exemplo, os deixará desconfortáveis.

Se você tiver relacionamentos com clientes importantes em países específicos, vale a pena falar com pessoas da região, incluindo as secretárias, para descobrir qual é o tempo ideal para se dedicar às conversas informais e que assuntos são aceitáveis. Na América Latina, por exemplo, falar sobre a vida pessoal é o modo normal de se começar o dia. Você descobrirá que passar meia hora perguntando às pessoas sobre suas famílias tornará mais fácil obter delas um melhor desempenho durante o resto do dia.

Mesmo sem planejamento prévio, uma pessoa hábil em bater papo e com um bom repertório de assuntos neutros poderá se manter em território seguro com pessoas de todas as culturas. Falar sobre crianças e costumes nacionais é sempre uma boa ideia. Outros temas "seguros" que você pode preparar com antecedência são acontecimentos atuais e interesses pessoais.

Você pode adquirir confiança para falar sobre assuntos da atualidade lendo tudo o que puder encontrar, desde jornais e biografias até catálogos e livros de receitas. Concentre-se no que lhe interessa, para poder falar com entusiasmo. O simples fato de ler resenhas sobre livros e programas de televisão é uma ótima maneira de desenvolver opiniões sobre assuntos específicos, para que você possa dizer coisas como "acabei de saber da estatística mais interessante" ou "acabei de ler a coisa mais incrível", o que geralmente leva ao diálogo.

Você conseguirá passar segurança em suas conversas pessoais se tiver uma lista de perguntas prontas sobre a profissão, a família ou os hobbies das pessoas. Não deixe de se lembrar das respostas; as pessoas ficarão felizes se você se referir novamente a essas coisas no futuro. Prepare-se para falar sobre você mesmo também, tendo respostas prontas para as possíveis perguntas. Se elas não lhe ocorrerem naturalmente, memorize-as de antemão, praticando com a família e os amigos para se assegurar de que fluam de forma natural. Prepare um "discurso de elevador" – uma pequena fala de 30 a 60 segundos sobre si mesmo.

Também há muitas situações de baixo risco em que você pode praticar fora da empresa ou do seu círculo de conhecidos. Quanto mais íntima for a situação, mais fácil ela será, já que a proximidade torna as pessoas mais abertas ao diálogo. Converse com estranhos na sala de espera de seu médico, na fila do banco ou no aeroporto. Perguntar algo sobre o livro ou artigo que eles estão lendo é uma boa forma de começar uma conversa.

Vale a pena preparar e praticar conversas informais. Quanto mais você ensaiar e aperfeiçoar o que pretende dizer, mais fluente e natural vai soar.

PARTE V

A verdade sobre como fazer as coisas acontecerem

VERDADE 22

"Fechar uma venda" é descobrir o momento certo de pedir o que você quer

Um bem-sucedido chefe de comunicações de uma grande agência do governo americano começou sua carreira vendendo produtos de porta em porta. Em vez de esconder seu passado humilde, ele atribui seu sucesso profissional àquelas primeiras e duras lições aprendidas quando era vendedor. A experiência diária de abordar as pessoas sem que elas estivessem esperando por isso – bater de porta em porta, tentar vender alguma coisa e lidar com a rejeição – o ajudou a aperfeiçoar habilidades que se mostraram de um valor incalculável em todos os seus empregos posteriores, fossem eles ligados a vendas ou não.

Qualquer que seja seu trabalho, muito do seu tempo é dedicado a "vender" coisas aos outros, sejam ideias, projetos ou até você mesmo. Vendedores costumam dizer que fechar uma venda é a parte mais difícil de sua profissão. Isso vale para todo tipo de negociação. Como chegar de modo eficiente e efetivo ao momento em que mãos são apertadas, sua ideia é escolhida, uma nova iniciativa é aceita por todos ou você recebe um aumento? A verdade é que não há uma fórmula simples. Porém, dois conselhos são sempre válidos. O primeiro é que você deve pedir de forma aberta e clara o que quer. Se não fizer isso, não conseguirá. O segundo é que isso tem que ser feito na hora certa.

Propor o negócio requer foco. Por um lado, significa estar absolutamente seguro do que você quer realizar e manter essa meta em mente durante todo o tempo em que estiver falando. Por outro, significa observar como a outra pessoa está reagindo a você e às suas palavras à medida que desenvolve uma sensação de empatia que os fará fechar o negócio.

O truque é levar a outra pessoa gradualmente em direção ao compromisso, fechando o acordo etapa por etapa. Quanto mais difícil ele for, mais etapas serão necessárias. Em vez de tentar chegar logo ao fim, comunique os elementos de sua ideia um a um, chegando a um consenso sobre cada um deles, em um ritmo no qual o "cliente" se sinta bem. Toda vez que ele assentir com a cabeça, sorrir ou mostrar interesse, mesmo que numa pequena parte de sua história, você ganhará um "voto" positivo e estará um passo mais perto de atingir o objetivo maior. Quando sentir que reuniu um bom número de votos e que o cliente o entende e confia em você, está na hora de promover a "venda" real.

O truque é levar a outra pessoa gradualmente em direção ao compromisso, fechando o acordo etapa por etapa.

Catherine gerenciava um departamento de hipotecas. Com um lote delas "em risco", ela queria apresentar a proposta de ter mais uma pessoa em sua equipe para fazer revisões constantes de riscos. Sua empresa, porém, via todas as funções relacionadas a este assunto como centrais e compartilhadas. Ela argumentou durante dois meses, aos poucos informando seu chefe sobre as prováveis consequências se alguma coisa desse errado. Ele demonstrou interesse pelos números envolvidos e sentiu segurança na análise de Catherine, e quando ela finalmente pediu mais uma pessoa para sua equipe, ele disse: "Eu só estava esperando que você pedisse."

Interesse e *segurança* são as palavras-chave nessa história. Leve-as em conta quando estiver fechando uma venda. Você conquista essas duas coisas pesquisando sobre as pessoas antes de abordá-las. Ao descobrir o que é mais importante para elas, poderá fazer referência a isso durante sua conversa. Essa tática mostrará que você compreende as pessoas e a empresa, e o ajudará a apresentar argumentos que atraiam o interesse delas. Como consequência, elas terão vontade de continuar conversando com você, porque sabem que esse diálogo será de interesse próprio e da organização.

Muitos de nós nos sentimos intimidados com a ideia de "vender", porque não gostamos de insistir com as pessoas. Esse instinto está correto. Táticas de imposição geram resistência, tornando os outros relutantes em continuar a conversa. O vendedor inteligente constrói cuidadosamente a empatia com a outra parte ao longo do tempo, obtendo gradualmente sua confiança e apoio. Então, quando chega o momento certo, a coisa mais natural e sensata a fazer é pedir.

VERDADE 23

Pensar no resultado leva à ação focada

A última linha de um balanço financeiro mostra o lucro ou o prejuízo líquido de uma empresa ou organização. Na maioria dos casos, aquela linha final é um ponto de referência fundamental, um indicador do sucesso ou do fracasso. As organizações não governamentais ou de caridade sabem que o dinheiro acaba ali, pois se entrarem no vermelho não terão recursos para atingirem seus objetivos.

Nas interações profissionais diárias, as metas financeiras nem sempre são o foco principal. Os objetivos imediatos podem ser terminar um relatório, lançar um projeto ou vender uma ideia. Apesar disso, toda atividade tem um resultado esperado, e é importante entender qual é ele. Um relatório para os clientes sobre uma nova iniciativa, por exemplo, é muito diferente de um relatório para uso interno. O objetivo de ambos é relatar, mas o que se espera do primeiro provavelmente é "vender", enquanto do segundo pode ser "informar". Você deve saber claramente o que precisa atingir. Estabelecer o objetivo foca a atenção e o esforço no que realmente conta, ajudando você e os outros a conquistarem aquilo de que necessitam da maneira mais eficiente possível.

Colocar o resultado em primeiro lugar é uma estratégia valiosa para quando você estiver trabalhando com outras pessoas. Comunicar claramente o que se espera estabelece uma abordagem ponderada e lógica, capaz de dar foco tanto a seus colegas quanto a você mesmo. As pessoas sabem o que precisam realizar e por que devem fazer isso, o que as capacita a agir.

Comunicar claramente o que se espera estabelece uma abordagem ponderada e lógica, capaz de dar foco tanto a seus colegas quanto a você mesmo.

Quanto mais concentrado no resultado for seu briefing, mais você poderá encorajar os outros a atingirem o objetivo de maneira rápida e eficiente. Quando um projeto é importante, pode ser tentador dar muitas informações sobre a tarefa, deixando para o final a informação mais importante: o que se espera que aconteça. O resultado disso é que as pessoas desanimam. Se você precisa que a equipe assuma rapidamente uma tarefa, comunicar primeiro o resultado esperado cria um gancho mental no qual os funcionários penduram os fatos e detalhes que se seguirem. Por exemplo, quando pedir ao departamento financeiro que crie um novo programa de TI para rastrear despesas de orçamento para sua equipe composta por pessoas que não são especialistas em finanças, você pode começar enfatizando que precisa de uma ferramenta para monitoração de gastos que seja fácil de usar sem supervisão. Uma vez comunicada sua ideia, vocês agora podem descobrir juntos como ela deve funcionar.

Manter o foco no resultado estabelece o argumento de um modo objetivo e estimula você ou qualquer outra parte a agir. Por mais ocupado que você esteja e independentemente de quão multifacetado seja o projeto ou de quão apertado seja o prazo de entrega, vale a pena reservar um tempo para descobrir exatamente o que está tentando realizar, em vez de mergulhar diretamente nos fatos e dados. Primeiro, concentre sua energia na conclusão e, como retorno, obterá uma ação concentrada.

VERDADE 24

Os obstáculos profissionais existem para serem negociados

Quando o Pernalonga bate numa parede ou é atropelado por um rolo compressor, fica deitado e imóvel? Não. Ele se levanta, recupera sua forma original e pensa em uma nova maneira de pegar as cenouras! Para ele e diversos outros personagens de desenhos animados, nenhuma adversidade é difícil demais. Essa atitude os torna ótimos exemplos para quando temos de lidar com os obstáculos profissionais. Um executivo bem-sucedido tem a energia e a iniciativa para continuar procurando um meio de superar qualquer obstáculo.

É muito comum ser boicotado no trabalho: alguém diz que não vai assumir a responsabilidade por um problema, afirma que você não pode fazer alguma coisa ou que a está fazendo da maneira errada. Pode parecer um beco sem saída, mas nunca desanime. Desistir é o melhor modo de perder o foco de sua carreira. Se o projeto for importante, você pode tentar conseguir apoio ou até mesmo elaborar um acordo que o beneficie de outras maneiras.

O modo como você deve lidar com quem o está boicotando depende de quão importante o apoio dessa pessoa é para seus planos. Se for seu chefe e você quiser fazer modificações no departamento ou precisar de dinheiro, é fundamental trazê-lo para o seu lado de alguma forma.

O modo como você deve lidar com quem o está boicotando depende de quão importante o apoio dessa pessoa é para seus planos.

Veja se reconhece esta situação: em um momento crucial do processo de implementação de uma estratégia previamente autorizada, seu chefe, de uma hora para outra, lhe diz para cortar custos ou funcionários antes do fim do ano. É como um soco no estômago, não é?

Da próxima vez que algo assim acontecer, antes de fazer ou dizer qualquer coisa, pergunte a si mesmo: se eu parar agora, meu trabalho será irreparavelmente prejudicado? O projeto é fundamental para o sucesso do meu grupo? As mudanças trarão consequências negativas a outros setores da empresa? Se a resposta para qualquer uma dessas perguntas for sim, o melhor que você tem a fazer é resistir.

Compreender as razões para o boicote ajudará você a se posicionar. Por exemplo, se seu chefe for do tipo que deliberadamente cria obstáculos para estimular os funcionários a lutarem por aquilo em que acreditam, diga a ele o que você pensa, mencionando objetivos claros e com toda a calma. Porém, se ele achar que tem a obrigação de economizar o dinheiro da empresa e estiver concentrado em cortar custos, pode ser mais difícil convencê-lo. Nesse caso, concordar com alguns cortes em um projeto pode ajudá-lo a obter apoio para outras iniciativas, mantendo-as em curso. Se seu chefe for um tirano que sempre diz não, a melhor opção é apresentar o caso a ele com firmeza, confiança e sangue-frio. Se ficar claro que você não se deixará intimidar, ele pode decidir que não vale a pena sequer tentar.

Se uma conversa direta não funcionar, procure soluções alternativas. Uma tática eficiente, apesar de demorada, é obter o apoio de colegas influentes de seu chefe, que podem ter seus próprios projetos afetados pela mudança proposta. Peça conselhos a eles, discuta os prós e os contras, e obtenha apoio, *por escrito*, antes de apresentar um caso mais consistente a seu chefe. É muito mais difícil boicotar iniciativas apoiadas por pessoas influentes. Dessa forma, é bastante provável que seu chefe recue.

Quando o obstáculo em seu caminho for um colega ou subordinado, suas opções aumentam. Se a cooperação dele não for crucial, você pode se afastar, evitando mais conflitos. Se resolver discutir o assunto, evite problemas mencionando os princípios da empresa em seu favor em vez de levar as coisas para o lado pessoal, ou encontre pessoas influentes que possam apoiá-lo. Para evitar que a situação se repita, pense em estabelecer algumas regras básicas de relacionamento que ajudem você a lidar com desavenças futuras.

Nunca desistir – independentemente de quaisquer obstáculos ou desvios – é ótimo para a sua carreira. Mas encontrar meios de contornar as dificuldades, aperfeiçoando suas habilidades estratégicas, é ainda melhor.

VERDADE 25

O pessoal de apoio também merece reconhecimento

Você já viu o filme *Como eliminar seu chefe*? Em sua canção-tema, interpretada por Dolly Parton, a atriz lamenta o fato de que o pessoal de apoio frequentemente "apenas dá e nada recebe". Por mais que seja uma passagem engraçada do filme, há um pouco de verdade nessa canção. Se você quiser que o pessoal de apoio produza o máximo possível, precisa se assegurar de que não está sendo egoísta com eles. O modo como trata auxiliares administrativos, secretárias e office boys pode impulsionar ou destruir sua carreira.

Essas pessoas são fundamentais para sua equipe, independentemente de trabalharem com você diretamente ou de serem do suporte técnico. São eles que dão apoio a suas atividades, lembrando datas e pessoas importantes, além de outras informações e de manterem tudo funcionando bem. Eles também estão nas linhas de frente, interagindo com o público e com os clientes. Um pessoal de apoio experiente é uma fonte impressionante de conhecimento sobre a história e os detalhes da empresa e do departamento. Além disso, eles têm contato com muitas outras pessoas em sua organização! Isso tudo significa que, do ponto de vista de sua carreira, um auxiliar administrativo contrariado pode tornar sua vida muito difícil. Também significa que ser valorizado e bem atendido pelo pessoal de apoio tem um valor incomensurável.

Como você pode mostrar apreço por essas pessoas? No nível mais simples, demonstre a cortesia normal, cumprimentando-as e se lembrando de ocasiões especiais, como aniversários. Mostre que você as percebe durante o dia e trate-as com o mesmo respeito profissional que teria por qualquer um. As pequenas coisas fazem diferença. Estabeleça uma boa relação com todos os funcionários, não só com aqueles que se reportam diretamente a você. Esforce-se para ter empatia com todos, pensando em como gostaria de ser tratado ou como iria querer que se dirigissem a você se estivesse no lugar deles e aja de acordo com isso.

Como você pode demonstrar apreço pelo pessoal de apoio? As pequenas coisas fazem diferença.

No que diz respeito ao trabalho, instruções claras com prazos e parâmetros de qualidade específicos tornam a vida muito mais fácil para o pessoal de apoio. Se você quiser que uma secretária envie um memorando a todos os participantes de uma reunião, por exemplo, peça em vez de simplesmente presumir que ela o fará. Também é importante que você lhes dê tempo suficiente para cumprir as tarefas, pedindo coisas com urgência em raras ocasiões. Se você solicitar algo por e-mail no fim do dia, não pode realmente esperar que seu pedido seja a primeira coisa a ser feita logo pela manhã. (Infelizmente essas solicitações não são incomuns!)

Um grande sinal de respeito é oferecer oportunidades de desenvolvimento. Um dos programas de treinamento mais interessantes que já vi chamava-se Instituto do Pessoal de Apoio. Esse treinamento acontecia mensalmente, durante a hora do almoço (nessas ocasiões, a empresa oferecia a refeição), e começou com atualizações de computadores, passando depois a apresentações rápidas sobre as atividades de cada departamento, com uma sessão final na qual o presidente falava sobre o futuro da empresa. O pessoal de apoio administrava e dirigia o programa com orientação do departamento de recursos humanos. Era barato, fácil e obtinha um resultado excelente para o pouco tempo investido.

Finalmente, quais são os principais erros que se pode cometer no trato com o pessoal de apoio? Antes de mais nada, não espere que eles leiam sua mente (apesar de, surpreendentemente, alguns parecerem adquirir esse dom com o tempo). Culpá-los por algo que não deu certo ou envergonhá-los por terem cometido um erro pode gerar frustração e desconfiança. Se você pensar bem, perceberá que o ímpeto para fazer isso provavelmente tem origem em sua frustração consigo mesmo. Desabafar pode fazer com que você se sinta melhor por um tempo, mas não será bom para sua reputação nem seus relacionamentos a longo prazo. Do mesmo modo, quando as coisas derem certo, reconheça o papel das pessoas no sucesso conquistado. Voltando ao filme *Como eliminar seu chefe*, assegure-se de não ser o "chefe que fica com os louros". Isso enlouquece o pessoal de apoio!

PARTE VI

A verdade sobre como administrar sua carga de trabalho

VERDADE 26

Saber priorizar significa equilibrar urgência e importância

Você já se viu correndo de um lado para outro tentando resolver problema atrás de problema? Está sempre apagando incêndios, sem nunca ter tempo para se concentrar nos assuntos realmente importantes de sua lista de tarefas? A solução óbvia e nada revolucionária é priorizar sua carga de trabalho: faça escolhas claras sobre o que executar primeiro. No entanto, quando se trata de estabelecer prioridades de maneira eficiente, falar é mais fácil que fazer.

Saber priorizar implica entender como urgência e importância influenciam uma à outra. À primeira vista, muitas das tarefas com que você depara diariamente podem parecer igualmente urgentes e importantes. No entanto, ao olhar com mais atenção, você descobrirá que algumas coisas urgentes na verdade não são tão importantes. Do mesmo modo, as coisas mais importantes a longo prazo muitas vezes não são tão urgentes. Por mais ocupado que seja seu dia de trabalho, você economiza tempo no final se parar regularmente para pensar nesse equilíbrio e se concentrar no que realmente conta.

Tarefas urgentes são as que têm prazos imediatos, como renovar uma assinatura antes que ela expire. Tarefas importantes são as que podem não ter um prazo tão apertado, mas que ajudarão você a atingir objetivos de longo prazo, ou que têm influência em sua carreira, como fazer contatos com pessoas estratégicas. Algumas tarefas parecem urgentes e importantes, como terminar seu relatório de desempenho, que deve ser entregue no dia seguinte. De todo modo, independentemente de seu grau de importância, tendemos a lidar com as tarefas urgentes primeiro, porque é essa urgência que nos chama mais atenção.

Saber priorizar não significa ignorar a urgência, mas estabelecer quais tarefas (e são poucas) são ao mesmo tempo urgentes e importantes – aquelas que lhe trarão problemas se não forem feitas – e dar conta delas primeiro. Depois de terminá-las, concentre-se por algum tempo nas tarefas importantes, mas sem urgência – aquelas que podem ser recompensadoras a longo prazo –, enquanto mantém um olho em qualquer outra tarefa urgente para garantir que não perderá nenhum prazo. O ideal é delegar algumas delas a outras pessoas.

As tarefas urgentes têm prazos imediatos. As importantes podem não ter um prazo tão apertado, mas ajudarão você a atingir objetivos de longo prazo.

Desenhar um gráfico como o apresentado a seguir ajudará você a priorizar as tarefas. Coloque cada uma delas nos eixos do gráfico, levando em consideração a importância e a urgência. Quanto mais perto do canto direito superior estiver uma tarefa, mais rápido você deve começá-la. Seu objetivo diário deve ser concluir alguma coisa do quadrante "muito importante/muito urgente" e fazer algum progresso no quadrante "muito importante/pouco urgente". Não importa se seria divertido encaminhar aquele e-mail engraçado. Não se distraia com as tarefas pouco urgentes e pouco importantes antes de ter dado conta das que estão nos outros quadrantes.

Uma ajuda adicional para priorizar de maneira eficiente é o Princípio de Pareto, ou a "regra 80/20", que afirma que 80% dos resultados mensuráveis são provenientes de apenas 20% de suas atividades. Do mesmo modo, 80% de seus negócios provêm de apenas 20% de seus clientes. Assim, vale a pena parar e identificar as poucas tarefas importantes – os 20% – que trarão o maior retorno. Concentre-se nelas e termine-as o mais rápido possível. Elas farão com que você seja notado na empresa e por isso têm maior impacto em sua carreira.

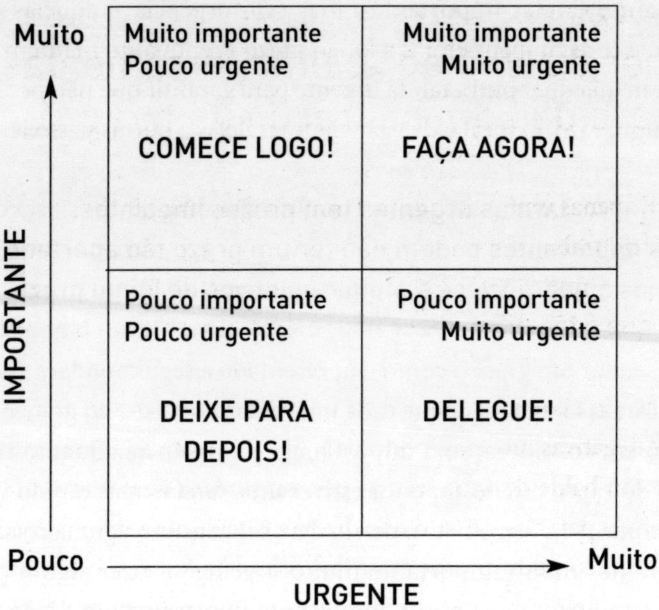
Muito
Muito importante
Pouco urgente
Muito importante
Muito urgente
COMECE LOGO!
FAÇA AGORA!
IMPORTANTE
Pouco importante
Pouco urgente
Pouco importante
Muito urgente
DEIXE PARA DEPOIS!
DELEGUE!
Pouco
Muito
URGENTE

VERDADE 27

Saber dizer "não" é uma ferramenta-chave da administração do tempo

Não. É apenas uma palavrinha. Por que é tão difícil dizê-la, especialmente no trabalho?

Por que é tão difícil dizer não, especialmente no trabalho?

Bem, para começar, é difícil ser o portador de más notícias. As palavras negativas são mais poderosas que as positivas. Seu impacto é como um balde de água fria: as pessoas podem ficar tensas, na defensiva ou parar de ouvir o que diz. Você não quer ser o vilão do escritório, recusando as propostas dos colegas, muito menos irritar os altos executivos, que podem interferir no progresso de sua carreira.

Porém, não saber dizer não pode ser uma receita para o estresse no ambiente de trabalho e para o caos profissional. Se você concordar com tudo, nunca terá tempo para fazer bem as coisas que realmente importam ou para pensar estrategicamente sobre suas próximas ações. Por outro lado, ser conhecido como alguém que estabelece (e ajuda outros a estabelecerem) prioridades e limites claros fará com que você conquiste respeito e alavancará sua carreira.

O segredo é saber quando e como dizer não. Fazer isso habilmente tem a ver com clareza, cortesia e escolhas cuidadosas. Significa ser visto como uma pessoa justa e de padrões coerentes, sejam eles práticas industriais, considerações éticas ou apenas o modo como você sempre faz as coisas. Assim, você não precisará sempre discutir as mesmas questões. Considere cada pedido com cuidado, pesando as possíveis consequências tanto para a empresa quanto para seu próprio cargo. Sua decisão pode depender de quem está pedindo e do tamanho da oportunidade que você pode estar perdendo. Então, após ter tomado uma decisão consciente, fique firme e só mude de ideia se algo extremamente importante acontecer.

Uma consideração cuidadosa pode até mesmo ajudar você a chegar a um acordo. Tempo, custo, quantidade e qualidade podem ser parâmetros flexíveis em um projeto. O caso é tão urgente e necessário quanto como foi apresentado de início? Refreie as expectativas. Se o prazo for um dia, sugira dois. Você terá mais flexibilidade se ampliar os limites e conquistará respeito se não permitir que se aproveitem de você. Quando quiser aceitar um pedido, mas as condições não lhe permitirem, ofereça alternativas. Você pode atender uma parte, mas não todo o pedido? Outra pessoa poderia ajudar?

Você terá mais flexibilidade se ampliar os limites e conquistará respeito se não permitir que se aproveitem de você.

Não é raro que diretores financeiros enfrentem dilemas quando pedem que seu departamento assuma mais um projeto. Às vezes o departamento financeiro está sobrecarregado, instalando um novo sistema e ainda cumprindo suas tarefas cotidianas. Eles podem sofrer a pressão de terem que cumprir com seus compromissos enquanto devem ser persistentes e justos ao apoiarem outros departamentos. Nesses casos, o diretor financeiro deve começar propondo assumir o projeto mais tarde e então, se isso não for possível, fazer um esforço para pagar um consultor para que o projeto seja realizado a tempo.

Outro conselho? Pense duas vezes antes de fazer favores, ou pode acabar ficando malvisto. As pessoas podem passar a lhe pedir cada vez mais coisas e você vai ser visto como bobo. Infelizmente, quanto mais solícito você for, menos os outros valorizarão o que faz. E fuja de projetos “órfãos”, aqueles que enfrentam dificuldades e precisam ser assumidos por alguém. Normalmente há um bom motivo para não terem dono, e não é sua tarefa cuidar deles, pois não trarão nenhuma glória!

É fácil se revoltar ao ser aborrecido por um pedido ou se sentir culpado por negá-lo, mas não deixe que isso se torne uma questão emocional. Saber dizer não, com calma e diplomacia, é uma habilidade profissional que traz tanto benefícios práticos a curto prazo quanto respeito por sua carreira e responsabilidade com o passar do tempo.

VERDADE 28

Boas cercas fazem bons vizinhos: seja claro em relação a cargos e responsabilidades

O poeta Robert Frost usou o antigo ditado da Nova Inglaterra, "boas cercas fazem bons vizinhos", em um poema sobre o conserto de cercas. Elas certamente definem limites territoriais, reduzindo invasões e conflitos relacionados à propriedade. Limites claros são igualmente importantes para sua carreira, sobretudo quando você trabalha com outras pessoas. À exceção de alguns empregos sindicais, públicos e braçais, poucos cargos e responsabilidades profissionais são perfeitamente definidos, e quanto menor a empresa, mais tênues podem se tornar essas linhas divisórias.

No entanto, isso nem sempre é negativo. Uma boa cerca no local de trabalho é sólida mas flexível; por exemplo, a decisão de não fazer café para seu chefe todos os dias pela manhã, mas ajudar quando houver visitas. Os limites podem ser mudados em seu favor e no da empresa, contanto que todos saibam que as linhas estão sendo deslocadas e por que isso está acontecendo. Assim, ninguém fica sobrecarregado nem pisa nos calos dos outros. Cercas flexíveis garantem que as tarefas estratégicas não serão negligenciadas nas lacunas entre os cargos no organograma corporativo. Elas também lhe oferecem oportunidades de contribuir em áreas específicas que estão além do seu trabalho principal, o que ajuda no desenvolvimento de sua carreira. Se você for bom em lidar com clientes, por exemplo, mas quiser ser transferido para o setor administrativo, precisa mostrar habilidade em outras áreas, como desenvolvimento de orçamentos, por exemplo. É sua responsabilidade buscar oportunidades de aperfeiçoar e mostrar seu talento, mas cuidado para não acabar fazendo o trabalho de outra pessoa além do seu.

Assumir uma carga de trabalho pesada demais é comum a novos

funcionários que superam as expectativas ou que são ingênuos. No primeiro caso, isso não o ajuda a fazer amigos e, no segundo, estabelece um precedente perigoso. Susan era uma gerente de recursos humanos recém-contratada que passou três dias criando uma tabela para mapear os custos de mudanças no número de funcionários. Seus chefes ficaram encantados e pediram que ela a atualizasse semanalmente. Eles acharam que era um pedido razoável, já que ela sabia de todo mundo que entrava e saía da empresa. No entanto, receosa de que os limites de seu cargo fossem ampliados por uma tarefa que consumiria muito tempo, Susan propôs um acordo sensato. Ela informaria semanalmente as mudanças de pessoal, mas alguém do departamento financeiro introduziria os valores específicos na tabela e os analisaria.

Você estabelece limites com sucesso quando define suas áreas de atuação e delega o restante. Isso pode ser difícil, especialmente no início da carreira. Quando limites mal definidos começam a causar problemas, sobretudo com clientes, pode ser necessário pedir ajuda de seu chefe, do departamento de recursos humanos ou de um mediador externo para acabar com os mal-entendidos, lacunas e sobrecargas, e definir com objetividade papéis e responsabilidades. Esse processo ajuda a reduzir conflitos, criando um foco externo de discussão, em vez de confrontar os envolvidos.

Você estabelece limites com sucesso quando define suas áreas de atuação e delega o restante.

Na maior parte do tempo, você e seu chefe devem entrar em acordo sobre os limites de seu trabalho. Depois é responsabilidade sua manter as cercas em bom estado, definindo com coerência suas tarefas em relação às dos outros, demonstrando força sempre que precisar impor limites e não deixando que os outros o intimidem.

VERDADE 29

Saber arquivar poupa seu tempo e salva sua reputação

Você já perdeu tempo procurando uma pasta importante no trabalho? Ou buscou freneticamente entre pilhas de papel algo que sabia que estava ali na véspera? As pessoas consideram arquivar uma tarefa sem importância, uma função administrativa entediante que não é a melhor maneira de aplicar o tempo de um profissional. Ao contrário, arquivar é o elo entre o passado e o presente na vida organizacional.

Arquivar é o elo entre o passado e o presente na vida organizacional.

Arquivar é um meio de encontrar as informações quando precisar delas. Fazer isso de modo eficaz implica criar uma estrutura que lhe permita recuperar rápida e eficientemente tudo de que precisar no futuro. Portanto, antes de você ou seu assistente definirem um sistema, então, parem e se perguntem como vocês e os outros precisarão usar as informações mais tarde. A palavra "outros" é a chave, uma vez que os colegas de equipe ou qualquer outra pessoa a quem você repassar o projeto precisam entender os arquivos. O professor universitário distraído cuja pilha de papéis sobre a mesa chega até o teto e que mesmo assim consegue encontrar qualquer coisa é um ideal romântico – tudo bem se você for o único a precisar das informações, mas se outras pessoas estiverem envolvidas, isso se torna um problema. Os papéis espalhados sobre a mesa podem lhe render o rótulo de "bagunceiro".

Não existe um método de arquivamento perfeito, então não se estresse tentando criar um. Porém, uma boa classificação é fundamental, independentemente de os arquivos estarem no computador, na sua mesa ou em um armário. Nomeie cada pasta ou subpasta assim que a criar. Se não conseguir pensar em um nome, pare por cinco segundos e espere que a primeira palavra com a qual você conseguir associar a pasta surja em sua mente. Esse rótulo instintivo provavelmente lhe ocorrerá de novo quando você precisar daqueles dados. Se outra pessoa arquivar seus documentos, assegure-se de que vocês dois estejam de acordo em relação aos rótulos e localizações, porque talvez ela não pense da mesma forma que você. Finalmente, quando houver alguma ligação entre os arquivos digitais e aqueles em papel, não deixe de nomeá-los da mesma forma. Pode parecer óbvio, mas é surpreendente ver quantas pessoas não fazem isso.

Na era pré-computador havia poucas opções de arquivamento. Encontrar as coisas era mais fácil, porém bem mais demorado. A era da informação trouxe muitas opções e ferramentas diferentes, desde o armazenamento de e-mails, pen-drives, cartões de memória e sistemas compartilhados em servidores até intricados bancos de dados. Uma vez que compreenda e aceite o uso desses suportes eletrônicos, você pode ter qualquer tipo de informação ao alcance de seus dedos.

Use regularmente as diferentes pastas e subpastas em seu computador para classificar os dados, em vez de simplesmente salvar tudo em Meus Documentos ou em sua área de trabalho. Em um nível mais estratégico, busque a orientação da equipe de TI sobre como criar uma estratégia de armazenamento de dados eficiente. Um ponto especialmente importante é o arquivo de informações que você já não usa todos os dias, mas que pode precisar acessar rapidamente. Por exemplo, a tecnologia lhe permite arquivar documentos antigos de um modo que não ocupem espaço em suas pastas atuais, mas que ainda assim possam ser facilmente acessados no computador.

Qualquer coisa que você faça com os arquivos antigos certamente será melhor do que no passado, quando as pastas de papel eram empilhadas no depósito. Além de ser difícil encontrá-las, quando elas chegavam até você, depois de muito tempo, estavam cobertas de poeira e mofo.

VERDADE 30

Promessas feitas devem ser cumpridas: respeitando os prazos

Você já trabalhou até tarde em uma tarefa, correndo para terminá--la enquanto as horas voavam? Quase todo mundo já precisou virar a noite para cumprir um prazo. E por que nos esforçamos tanto? Porque sabemos que prazos são importantes. No entanto, depois desse curto período de pânico, quantos de nós param e pensam em quanto os prazos importam?

Os verdadeiros profissionais compreendem que terminar uma tarefa a tempo é uma promessa fundamental no mundo dos negócios. Exceto em casos de incêndio, enchente ou terremoto, se você se comprometer a realizar alguma coisa no trabalho, deve fazer tudo o que puder para cumprir sua promessa – e dentro do tempo determinado. Não fazer isso envergonha você e traz problemas de curto prazo para a empresa. Além disso, a longo prazo, não concluir suas tarefas a tempo repetidas vezes pode prejudicar sua reputação. Os colegas e chefes podem concluir que você não é suficientemente confiável para participar de projetos futuros, o que significa perder oportunidades de crescimento.

Os verdadeiros profissionais compreendem que terminar uma tarefa a tempo é uma promessa fundamental no mundo dos negócios.

Ter uma atitude profissional significa agir com segurança, começando cada tarefa bem antes do prazo, em vez de esperar até o último minuto. Isso é necessário em parte porque, por mais eficiente que você seja, poucas atribuições dependem apenas de seu esforço. Na maioria das vezes você trabalhará com outras pessoas, e elas podem ser imprevisíveis e difíceis de controlar, mesmo que estejam subordinadas a você. Começar com antecedência lhe permite ajustar ou corrigir erros e atrasos.

A pressão do trabalho ou a necessidade de habilidades específicas às vezes pode obrigá-lo a passar uma tarefa inteira para outra pessoa. Quando delegar ou transferir um serviço a alguém, cabe a você a responsabilidade pelo relacionamento com essa pessoa e garantir que ela complete a tarefa. Embora essa atribuição não esteja mais em sua lista de afazeres, registre-a como algo a ser supervisionado, para se lembrar de acompanhar seu progresso.

Apesar das boas intenções, muitas vezes pode ser difícil começar um projeto com antecedência, especialmente se seu planejamento estiver sobrecarregado. Ele pode parecer grande demais para ser iniciado até que você disponha de um bom tempo para se concentrar nele. Nesses casos, um método comprovadamente eficaz é dividir o projeto em tarefas menores, que possam ser realizadas aos poucos. Se você tem que preparar um relatório, por exemplo, comece anotando todos os seus pensamentos e ideias. Em seguida, selecione os assuntos e seções principais e dedique um tempo a cada um deles, como se fossem partes independentes do relatório. Assim que tiver a primeira delas no papel, sentirá que o relatório está progredindo e o desafio parecerá menor.

De vez em quando alguma coisa inesperada irá acontecer e, apesar de todos os seus esforços, você não conseguirá cumprir um compromisso. As pessoas poderão aceitar isso se você avisar a elas com antecedência e sugerir uma nova data que seja boa para todos. Uma orientação geral é alertá-las antes de chegar à metade do prazo. Em um projeto de seis semanas, por exemplo, você deve informar seu atraso até três semanas depois de ter começado o trabalho. Então, mantenha seu radar ligado para captar o que estiver surgindo no horizonte profissional.

Sua integridade pessoal está em jogo a cada promessa ou acordo que você faz. Se adquirir a reputação de irresponsável, vai ser difícil se livrar dela.

PARTE VII

A verdade sobre saber se comunicar

VERDADE 31

O meio é a mensagem: adéque seu discurso ao público

O guru da comunicação e da cultura Marshall McLuhan afirmou com perfeição: "O meio é a mensagem", reforçando que o importante não é *o que* você diz, mas *como* diz. Isso é tão verdadeiro no mundo dos negócios quanto em qualquer outro lugar. Desde seu tom de voz ao papel no qual você escreve, o meio pelo qual você envia uma mensagem a alguém influencia muito sua eficácia, porque o cérebro a compreende melhor quando é adequadamente apresentada.

Pesquisas mostraram que usamos nosso cérebro de maneira diferente para cada tipo de informação. A maioria das pessoas tem um modo favorito de assimilar mensagens: seja vendo-as (nesse caso são principalmente "visuais"), ouvindo-as (basicamente "auditivas") ou "sentindo-as" (quando são antes de tudo sinestésicas, o que significa que precisam usar o corpo de alguma maneira para assimilar completamente a informação). Quando recebemos informações do modo que preferimos, nosso cérebro assume um estado de concentração chamado "beta". Quando estamos menos concentrados, o cérebro fica mais aberto a novas ideias, em um estado chamado "alfa". Quando alguém se dirige a nós usando o meio de que gostamos menos, nosso cérebro entra em um estado meditativo denominado "teta".

A maioria de nós gostaria que qualquer plateia no ambiente de trabalho estivesse o mais concentrada possível. Então como podemos garantir isso? Adequando o discurso ao público.

Por exemplo, para aqueles cujo cérebro entra em estado beta ao verem ou lerem as informações, uma longa reunião com muita conversa pode fazer a mente se dispersar. Se ouvir faz o cérebro dessas pessoas entrar em estado teta (o menos concentrado), será ainda mais difícil mantê-las atentas. Nesse caso, os slides ou outros apoios visuais funcionam bem: você pode chamar a atenção da plateia por meio de gráficos, tabelas e tópicos. No entanto, se o cérebro de um indivíduo entrar em estado teta ao captar linguagem visual, ele pode ficar impaciente após alguns slides ou se desligar de longos relatórios escritos e preferir discutir as coisas para assimilar as informações.

Uma longa reunião com muita conversa pode fazer a mente se dispersar.

Você pode descobrir o meio preferido das pessoas observando-as durante reuniões ou enquanto estiverem conversando com outras. Qualquer um que tenha o hábito de rabiscar, bater com a caneta, balançar os pés, ou mesmo andar de um lado para outro provavelmente é sinestésico. Todo esse movimento mantém seu cérebro concentrado, no estado beta. As pessoas que inclinam a cabeça para um dos lados geralmente preferem ouvir. Em um nível mais sutil, os movimentos dos olhos também são úteis para obter essa informação. Pessoas essencialmente auditivas tendem a olhar para o lado enquanto absorvem informações, enquanto as visuais muitas vezes fitam o espaço. Os sinestésicos podem olhar para baixo, em direção à mão dominante.

Quando estiver se dirigindo a um grupo, as coisas podem ficar mais complicadas. Como prender a atenção de todos ao mesmo tempo? Planeje alguns elementos de sua palestra que interessem a cada tipo de pessoa. Uma apresentação breve, acompanhada por slides e seguida por um tempo para debate, alguns minutos para as pessoas esticarem as pernas ou mesmo atividades em grupo oferecem a variedade necessária. Ou, ainda mais estrategicamente, adote o meio preferido pelos membros-chave da plateia.

O que é verdade para os outros também é para você. Vale a pena trabalhar suas próprias preferências, talvez pedindo a alguém que o observe. Tente entrar no estado beta quando precisar de concentração, no alfa quando quiser fazer um brainstorming ou ativar sua criatividade, e no teta quando quiser se recolher e relaxar.

VERDADE 32

As pessoas se lembram do começo e do fim

"Eu tenho um sonho", disse Martin Luther King no início de seu mais famoso discurso. O de Abraham Lincoln em Gettysburg começa assim: "Há 87 anos..." Bons escritores de discursos sabem que um texto envolvente precisa de um "gancho": algo que prenda o ouvinte ou leitor logo de cara, preparando o caminho para o que virá em seguida. Nesses famosos discursos da história dos Estados Unidos, os ganchos iniciais foram bem-sucedidos em evocar na mente dos ouvintes a visão do passado e do futuro do país.

Apesar de as apresentações que você fizer no trabalho provavelmente não terem como destino os Arquivos Nacionais nem se dirigirem a audiências tão significativas, cada uma delas requer o máximo de atenção, para que coloque seus ouvintes exatamente onde você os quer. Estudos mostraram que a maioria das pessoas, seja lendo ou ouvindo algum texto, tende a se lembrar mais das palavras do início e do final do que do restante. Isso significa que, a cada vez que você pegar uma caneta ou caminhar até um púlpito, deve usar o "começo" e o "fim", momentos cruciais de conexão, a seu favor, para que as pessoas saiam dali tendo em mente as mensagens que você quer passar e se lembrem de você como um bom comunicador.

As primeiras palavras atraem a atenção da plateia. Use-as para preparar o palco do discurso, assim como fizeram os grandes oradores. Seu gancho não precisa ser uma declaração grandiosa; uma piada, uma história ou um fato interessante funcionam do mesmo jeito, atraindo o leitor ou ouvinte para o que virá a seguir. Os jornalistas tendem a ser mestres do gancho eficaz, assim, uma boa maneira de se inspirar é estudar artigos de revistas e observar como os autores atraem sua atenção.

Algumas revelações pessoais também prendem as pessoas. Você pode começar com uma pequena história ou um exemplo pertinente aos pontos que apresentará em vez de se lançar diretamente em fatos e teorias. Contar que sua filha de 7 anos perguntou o que aconteceria a ela se você morresse, por exemplo, pode ser uma ótima introdução para as apresentações sobre planejamento do futuro, desde desenvolvimento profissional até segurança financeira. Até mesmo pequenos episódios pessoais dão à audiência a sensação de estarem ligados a você e uma história humana com a qual se identificar. Quando achar que tem uma boa introdução, teste-a com colegas confiáveis para ver se funciona.

As últimas poucas linhas são sua oportunidade de resumir os pontos-chave de sua mensagem e de fixá-los claramente na memória das pessoas. Não há mal algum em ser explícito. Todos já ouvimos os oradores dizerem "... e, para concluir, você precisa se lembrar de três coisas..." ou "... se há algo que eu gostaria que vocês levassem daqui, é isso...". Isso acontece porque funciona: faz com que as pessoas se concentrem, entre todas as palavras e ideias, no que é mais importante. Para obter ainda mais impacto, você pode vincular essas palavras às ações que deseja que as pessoas empreendam, sugerindo, por exemplo: "Aqui estão os três passos que cada um de nós precisa dar no mês que vem..." Faça com que sua plateia saia inspirada e pronta para começar a agir.

Atualmente, a capacidade de concentração das pessoas na atualidade tem sido notavelmente reduzida pela televisão e pela internet. Não lute contra essa tendência; mantenha seus começos e finais animados e memoráveis, com frases curtas e fáceis de serem lembradas. Pense nelas como uma moldura para todas as informações fascinantes que seu discurso contém.

VERDADE 33

Vale a pena levar as pessoas ao estado mental correto

Um executivo entra em uma reunião e diz: "O objetivo dessa reunião é finalizar os detalhes e concluir nosso projeto. Temos que terminar impreterivelmente às duas horas." Essas duas frases fazem, rápida e eficientemente, com que todos os presentes se concentrem e estabelecem uma estrutura para tudo o que precisa acontecer. Os objetivos são tangíveis e os participantes ganham uma sensação de urgência e prontidão. Dessa forma, quando a reunião termina, cinco minutos antes do previsto, o projeto está concluído e pronto para ser lançado.

"Estruturar" é a arte de estabelecer uma direção ou significado claro. Seja dando uma palestra, fazendo um pedido ou defendendo um argumento, palavras cuidadosamente escolhidas podem gerar um contexto, ou "estrutura", que enfatiza os pontos centrais do assunto em pauta, da mesma maneira como uma moldura contém e realça um quadro. A estruturação habilidosa concentra o pensamento dos outros e aumenta a probabilidade de eles atingirem suas metas ou de darem a resposta que você deseja. É um talento que vale a pena adquirir.

"Estruturar" é a arte de definir uma direção ou significado claro.

Há várias formas de estruturação. A mais simples – que consiste em algumas palavras que "preparam" o que você vai dizer em seguida – é útil quando você estiver dando uma orientação, fazendo pedidos simples ou perguntas, especialmente se o assunto é novo ou controverso. Uma boa estrutura de preparação esclarece o propósito por trás de seu pedido ou comentário e aborda as preocupações do ouvinte. Então, quando falar com um colega, você deve mostrar que seu pedido é um meio de atingir uma meta da equipe. Por exemplo: "Vai ser difícil, mas precisamos terminar esse projeto até a próxima semana para cumprirmos nosso compromisso com o departamento financeiro. Conto com sua ajuda para isso." Se a pessoa aceitar sua estrutura, tudo ficará mais fácil.

Um meio eficaz de ajudar as pessoas a concordarem com sua mensagem é empregar como estrutura uma história ou metáfora que desperte a imaginação. Muitos bons comunicadores usam metáforas que refletem interesses ou hobbies. Esportes em grupo, barcos a vela e analogias bíblicas são muito populares. Um líder que tenha sido criado no campo pode falar sobre plantações, estações do ano ou animais em uma fazenda para ilustrar seu ponto de vista.

Uma boa história equilibra o que funciona para você a situações que seu ouvinte possa identificar. Quando Abraham Lincoln se candidatou à presidência, retratou-se como alguém de origem humilde, criado em uma cabana de madeira. Orador incrivelmente articulado, Lincoln tinha o dom de se mostrar como alguém do povo, apesar de seu poder e de sua riqueza. Ao introduzir um elemento de revelação pessoal em seus discursos – destacando seu tempo na "escola da vida" –, Lincoln rapidamente conquistou a confiança e o respeito de seus ouvintes, muitos dos quais se identificaram com sua história.

Estruturar também pode ser uma tática para responder a uma pergunta provocativa ou difícil, especialmente se o modo como sua resposta for interpretada puder ter uma repercussão negativa para você ou para outra pessoa. Por exemplo, se alguém perguntar se você acha que seu chefe tomou uma decisão errada, não há uma resposta correta. Você deve emoldurar a discussão, deslocando-a para um objetivo neutro. Então, pode dizer: "Sabendo que Jean sempre quer o melhor para o departamento, e dado o que ela entendeu da situação, compreendo por que deve ter tomado essa decisão." Recuar um passo ajuda a dissipar a tensão.

Molduras bem-sucedidas podem ser tão simples quanto mencionar o contexto ou a razão para se dizer alguma coisa, ou tão complexas quanto histórias com metáforas. Com a prática, seu uso se torna automático, e você se transforma em um comunicador mais bem-sucedido e influente.

VERDADE 34

Algumas perguntas na verdade são afirmações: prepare-se para elas

Você acaba de fazer uma ótima apresentação no trabalho e está satisfeito. Então, de repente, apesar de ter pensado previamente nas possíveis perguntas, um colega faz uma que o surpreende. Ele quer saber se você não tem mais problemas com a poluição. Seu tom é mais hostil do que curioso. Até onde você sabe, nunca houve um problema real com poluição. Então, do que ele está falando? E o que você pode fazer?

Você pode achar que o objetivo principal de uma pergunta é obter informações. Errado! Quando você fala em público, muitas vezes as perguntas são, na verdade, afirmações: tentativas de passar informações, não de consegui-las. As "perguntas" muitas vezes são feitas para tentar denegrir sua imagem, revelando falhas em sua argumentação. Mais frequentemente, porém, o objetivo é melhorar a imagem da pessoa que a elaborou, fazendo com que pareça inteligente ou perspicaz diante dos outros. Escute com atenção da próxima vez que estiver na plateia. Você vai entender o que estou dizendo.

Não há resposta correta para uma afirmação disfarçada de pergunta. Na verdade, o conteúdo da resposta costuma ser irrelevante. O importante é *como* você responde. Aprenda a identificar esse tipo de pergunta e a se esquivar cuidadosamente da armadilha. A seguir você encontrará uma lista dos tipos mais comuns de afirmações veladas e sugestões sobre como lidar com elas.

O conteúdo da resposta costuma ser irrelevante. O importante é como você responde.

– **Perguntas que claramente são afirmações.** Sempre existe pelo menos um membro da audiência que quer ser ouvido. Sua pergunta será do tipo "Não acho que essa seja a melhor maneira de agirmos", seguida por uma proposta alternativa e então, "o que você acha?". Esta última frase é a única coisa que transforma todo o resto em uma pergunta! Cuidado também com aquelas que começam ou terminam com "você não acha?".

A pior coisa que você pode fazer é ficar na defensiva. Em vez disso, mantenha a "superioridade", mostrando educadamente que há argumentos para diferentes pontos de vista. Se você se sentir seguro, diga por que acredita que sua abordagem está correta. Senão, sorria educadamente e continue. Se a pessoa insistir com sua "pergunta", sugira que conversem sobre isso depois, de modo que você possa continuar por enquanto.

– **Perguntas que são afirmações veladas.** Elas foram criadas para revelar pontos fracos ou descuidos. Muitas vezes se referindo a algo que você não mencionou, elas podem ser precedidas por um meio elogio para fazê-lo baixar a guarda. Por exemplo, digamos que você tenha acabado de apresentar uma nova iniciativa, e alguém diz: "Tudo isso é muito interessante, mas quando você vai incluir mais pessoas no projeto?" O que essa pergunta diz na verdade é que *deveria* haver mais pessoas, mesmo que você não tenha falado nada sobre isso. A pergunta também pode ser um gancho para outra afirmação do tipo: "Você não acha que deveríamos decidir isso em conjunto?"

O truque é reconhecer a pergunta e se desviar dela, respondendo de forma neutra. Tente algo como: "Estamos comprometidos com o sucesso desse projeto e chamaremos mais pessoas para a equipe quando e se houver necessidade." Isso responde à insinuação por trás da pergunta. É melhor nunca responder com uma promessa a uma afirmação disfarçada de pergunta que o pegue de surpresa. Em vez disso, use uma declaração genérica.

– **Perguntas do tipo "E se".** Geralmente são perguntas sobre o que pode dar errado. Costumam ser usadas para insinuar que você não será capaz de concluir alguma coisa. "E se você não conseguir completar o projeto no prazo?" é um bom exemplo. Mesmo quando são feitas inocentemente, a melhor reação é, mais uma vez, redirecioná-las. Nesse caso, você pode falar sobre a importância dos cronogramas e sobre como sua equipe os planejou cuidadosamente. Já que lhe fizeram uma pergunta hipotética, você só precisa dar uma resposta hipotética.

– **Perguntas com falsos fatos.** Quando alguém faz uma pergunta inexata, como, por exemplo, "Agora que você perdeu dinheiro com isso, o que pode fazer para manter os custos baixos?", quando na verdade não houve prejuízo algum, essa pessoa pode estar tentando expor você. É preciso cortar o mal pela raiz. Não fique na defensiva e apenas apresente os fatos educadamente: "Na verdade, estamos dentro do orçamento." Depois, siga em frente com a apresentação. Se alguém quiser argumentar, você não precisa reagir, pois já respondeu o suficiente. Há momentos em que é importante apenas prosseguir. Se o interlocutor insistir demais, se queimará sozinho.

Para reagir a afirmações disfarçadas de perguntas você não precisa suspeitar de tudo constantemente. Deve apenas se preparar para responder de modo positivo e neutro, independentemente da pergunta ou da intenção por trás dela.

VERDADE 35

Reuniões e teleconferências são grandes oportunidades para causar uma boa impressão

Quando você se senta em uma sala de reunião, o que pensa? "Tomara que acabe logo" ou "Que grande oportunidade"? Acho que a primeira opção é mais frequente. Muitas pessoas veem as reuniões como obrigações entediantes da vida organizacional, nas quais é comum que pouca coisa interessante seja dita e quase nada fique decidido. As verdadeiras decisões acontecem em outro lugar.

As reuniões e teleconferências (seus equivalentes virtuais), porém, têm muitos pontos positivos. Uma reunião bem dirigida é uma chance de manter grupos de colegas informados e de estimular o espírito de equipe. Além disso, qualquer encontro é também uma oportunidade para você obter alguma exposição favorável. As reuniões têm mais impacto do que conversas em particular porque sua audiência é maior. Portanto, são bons ambientes para mostrar que você sabe o que faz, demonstrando confiança diante de colegas e superiores.

Qualquer reunião é uma oportunidade para você obter alguma exposição favorável.

Brilhar em uma reunião ou em uma teleconferência depende essencialmente de uma preparação estratégica. Pense com antecedência na impressão que quer dar e planeje como reivindicará seu "espaço" à mesa. Essa preparação é tão importante que muitas vezes vale a pena dedicar mais tempo a ela do que à reunião propriamente dita.

Pergunte a si mesmo o que gostaria que os outros dissessem sobre você após a reunião e prepare questões, anedotas e argumentos apropriados. Se você quer ser visto como um profundo conhecedor dos fatos, estude-os com dedicação. Quer demonstrar sua estratégia?

Prepare algumas perguntas do tipo “e se”. Quer se mostrar interessado na equipe? Faça perguntas que chamem os outros à conversa e os faça dar opiniões. Para teleconferências, as intervenções precisam ser ainda mais cuidadosamente planejadas do que para reuniões presenciais, porque há menos espaço para espontaneidade e, em consequência, menos oportunidades de falar. No entanto, você tem a vantagem de poder escrever com antecedência exatamente o que quer dizer, fazendo com que suas contribuições pareçam fluentes.

Para reivindicar seu espaço na reunião, anuncie sua presença e depois a reforce. Se os outros não forem colegas próximos, a primeira coisa que você deve fazer é se identificar, fazendo com que eles guardem seu nome. Em teleconferências, é duplamente importante você fazer isso da primeira vez que disser alguma coisa. Nunca suponha que as pessoas irão reconhecer sua voz. Diga seu nome de modo claro e seguro, para que os outros possam memorizá-lo.

Algumas táticas físicas podem ajudar a afirmar sua presença. Quando se sentar à mesa, uma postura forte é manter as mãos visíveis e juntas, as pontas dos dedos se tocando levemente, apontando para cima, e os pulsos sobre a mesa. Estudos indicam que essa posição comunica uma presença confiante. Quando quiser dizer alguma coisa, estenda a mão à frente para “penetrar” no espaço comum, chamando a atenção das pessoas. Uma teleconferência não permite sinais visuais, então você deve usar uma tática um pouco diferente. Sempre deixe o mediador saber de antemão que você tem algo a dizer, para que ele lhe dê uma brecha. Quando conseguir falar, use gestos que o ajudem a causar uma impressão forte. Você pode, por exemplo, socar o ar para acrescentar energia ao que está dizendo. Isso poderia parecer excêntrico ou agressivo em uma reunião presencial, mas é uma ferramenta secreta em teleconferências.

Executivos espertos não veem nas constantes reuniões um peso, mas oportunidades de construírem e reforçarem uma mensagem positiva sobre si mesmos. Siga o exemplo deles!

VERDADE 36

E-mail: fácil de usar – e de abusar

O e-mail é um dos mais simples meios de comunicação disponíveis hoje em dia. No entanto, é também um dos mais cheios de ciladas.

Confuso? Bem, o problema do e-mail é que sua natureza conveniente tanto facilita que as pessoas o usem de modo irrefletido – gerando mal-entendidos em relação ao conteúdo das mensagens – quanto que abusem dele, quando outros meios de comunicação poderiam ser mais adequados. Também é uma forma de comunicação escrita, o que significa que, por mais que pareça informal, seu envio fica registrado, tornando difícil qualquer retratação. Por isso, vale a pena pensar na maneira mais eficiente de usar o e-mail. Além de melhorar a qualidade da comunicação, você também se protegerá de erros embaraçosos.

A ausência do fator humano é um dos maiores desafios desse recurso. A esse tipo de comunicação faltam as formalidades, amenidades e até mesmo a assinatura manuscrita das cartas. Esse é também um dos seus atrativos – poder enviar mensagens curtas e informais, relatando apenas os fatos. Entretanto, sua natureza direta pode parecer rude para algumas pessoas. E, diferentemente de uma ligação, outro meio de comunicação casual, no e-mail você não pode contar com seu tom de voz para esclarecer a intenção do que está dizendo. Além disso, também não está frente a frente com a pessoa para captar sua perplexidade.

A ausência do fator humano é um dos maiores desafios do e-mail.

Então, como usar o e-mail a seu favor? As orientações a seguir foram desenvolvidas ao longo dos últimos anos por tentativa e erro, queixas e feedback em empresas de todo o mundo. Apesar de todas serem válidas, para cada companhia, algumas podem ser mais relevantes que as outras. Quando começar em um novo emprego, observe o estilo dos e-mails enviados pela equipe para determinar o grau de gentileza e as normas exigidas.

Siga essas orientações para usar o e-mail de modo eficiente:

- Use uma saudação como "Caro" ou o nome do destinatário no início de cada mensagem e assine com uma breve despedida ou agradecimento.
- Use frases curtas, para facilitar a leitura de sua mensagem. É difícil ler frases longas na tela.
- Não escreva tudo em maiúsculas. Pode parecer que você está gritando.
- Releia suas mensagens antes de enviá-las. Se o assunto for importante, salve o e-mail na pasta "Rascunhos" por um tempo, depois verifique novamente seu conteúdo antes de enviá-lo.
- Responda às mensagens em até 24 horas. Se precisar de mais tempo, acuse logo o recebimento do e-mail e informe ao remetente que você responderá em breve. Marque as mensagens ainda não respondidas, para não se esquecer delas.
- Não responda mensagens nas quais seu nome aparece no campo Cc (cópia carbono). Nesses casos, você apenas está sendo informado de alguma coisa, não precisa fazer nada. Não perca tempo com avisos de recebimento desnecessários.

O e-mail é uma ótima ferramenta para receber e disseminar informações rapidamente, marcar reuniões, tomar outras providências complicadas e rastrear debates, sobretudo quando quiser incluir muitas pessoas. No entanto, há ocasiões em que você deve tomar cuidado. Evite usar o e-mail quando o conteúdo da mensagem for confidencial ou não quiser que ele apareça em um tribunal. As mensagens podem se perder, e elas existirão indefinidamente no ciberespaço. Quando precisar repreender ou até mesmo demitir alguém, ou quando estiver começando um novo relacionamento, não é uma boa ideia enviar mensagens com qualquer carga emocional que possa causar mal-entendidos. Nesses casos, telefonar ou conversar pessoalmente funciona melhor.

O e-mail é uma ferramenta de comunicação barata e conveniente, mas tem suas desvantagens. Use-o para seu benefício e com cuidado.

PARTE VIII

A verdade sobre como lidar com inimigos

VERDADE 37

Seja sempre moderado: você colhe o que planta

Você provavelmente já ouviu a expressão "é você quem cria sua própria sorte". Até certo ponto, isso é verdade. Não estou falando de nenhuma ideia new-age de carma ou destino. É apenas que aquilo que você faz, pensa ou diz tem nos outros um impacto que determina diretamente a forma como eles reagirão a você. A resposta a suas palavras ou a seu comportamento costuma ser semelhante ao que você transmite. Se você for educado e gentil, por exemplo, quase sempre as outras pessoas reagirão do mesmo jeito.

Do mesmo modo, palavras e emoções fortes geram reações fortes. Em um nível básico, se você demonstrar emoções muito negativas em relação a alguém – como raiva ou desespero –, é provável que essa pessoa reaja de forma negativa ou se sinta um pouco deprimida. O pensamento negativo é contagioso. Você pode achar que o ato de se comportar de modo extremamente positivo deveria gerar reações muito positivas. Isso é possível, mas o que acontece com mais frequência no local de trabalho, onde você se relaciona com estranhos ou com pessoas que não conhece bem, é que eles reagem mais à força do que à emoção. Reações fortemente positivas sobrecarregam os outros tanto quanto as negativas, fazendo com que fiquem na defensiva ou até mesmo se tornem agressivos. Eles podem achar que você está gritando ou fazendo críticas, quando na realidade está apenas demonstrando seu entusiasmo.

O problema com as emoções fortes é que elas podem ser um pouco confusas. Pense nelas como em uma bebida gaseificada. Ninguém quer uma lata de refrigerante que estoure e suje tudo à sua volta. Esse é o efeito que você provoca nas pessoas quando fica animado demais, falando rápida, alta ou insistentemente. Você parece estar "com muito gás". Por outro lado, se você se comportar e falar de modo totalmente desanimado, a impressão que provoca é de alguém sem nenhuma energia, ou "sem graça", o que é igualmente indesejável. É preciso encontrar um meio-termo adequado – animado ou efervescente como uma taça de champanhe. Um pouco de gás estimula os outros a pensar sobre o que você está dizendo e a comprar sua ideia porque você parece comprometido com ela.

Pense nas emoções como em uma bebida gaseificada.

As palavras que você escolhe também têm uma influência considerável sobre sua imagem. Evite termos fortemente positivos ou negativos, sobretudo quando estiver dando sua opinião sobre alguma coisa. Quanto mais neutra for sua descrição, menor será a chance de obter reações negativas. Quando falar sobre uma situação profissional delicada, pode ser bom pensar em si mesmo como uma câmera de televisão, um equipamento que captura e descreve objetivamente o que está à sua frente, com a distância de quem está por trás das lentes e sem críticas. Então, quando você instintivamente quiser dizer "nosso departamento está uma bagunça", é muito mais sensato apontar os fatos friamente: "Nosso departamento foi citado quatro vezes esse ano por problemas de organização." Isso mantém o ânimo da equipe calmo e neutro, facilitando que todos trabalhem juntos para consertar as coisas.

VERDADE 38

Esconda suas cartas

"Cara de pôquer" é a expressão neutra que os jogadores estampam quando não querem que os outros saibam o que estão pensando. A frase "esconda suas cartas" tem relação com o cuidado que tomam para proteger seu jogo. Juntas, essas duas estratégias garantem que eles não darão nenhuma pista sobre o que têm em mãos. Até mesmo um pequeno indício sobre suas cartas pode influenciar diretamente o comportamento dos outros jogadores. Se eles pensarem que você está satisfeito, não apostarão, e, se você demonstrar insatisfação, farão apostas altas, sabendo que poderão tirar vantagem.

Controlar seus verdadeiros sentimentos é tão importante para um profissional quanto para um jogador de pôquer. Demonstrar emoções, tanto positivas quanto negativas, pode criar muitos problemas no trabalho. Não somente faz com que você pareça fraco ou vulnerável – e, por isso, deixe de ser levado a sério como participante do jogo corporativo –, mas também cria problemas para os outros, fazendo com que se sintam mal em sua presença ou inseguros em relação a como reagir.

Controlar seus verdadeiros sentimentos é tão importante para um profissional quanto para um jogador de pôquer.

Não se trata de não deixar que os outros saibam se você está feliz ou triste, mas de ser cuidadoso em relação a quando e como fazer isso. Guarde para si o que estiver sentindo até que chegue o momento apropriado de levantar a questão e, quando o fizer, seja neutro e educado. Emoções fortes de qualquer tipo, especialmente as negativas, podem gerar comportamentos defensivos. As pessoas podem sentir que você está tentando pressioná-las ou dominá-las, reagindo rispidamente.

Não há nada de errado em ficar furioso com alguém que fez algo inadequado, por exemplo. No entanto, essa raiva não deve ser exposta publicamente (pelo bem do ambiente de trabalho) nem discutida enquanto for recente. É mais eficaz chamar essa pessoa em particular depois que você tiver esfriado a cabeça e lhe dizer que ficou insatisfeito com seu comportamento anterior, pedindo que não o repita. Desse modo, o confronto é reduzido, você parece profissional e controlado, e suas palavras têm muito mais efeito quando não estão sob a "interferência" das emoções.

Mesmo quando você receber boas notícias – como a de uma promoção, por exemplo –, deve reprimir as emoções positivas em consideração aos outros. Lembre-se de que, no trabalho, quando uma pessoa vence, muitas vezes outra perde. A alegria evidente pode fazer os outros se sentirem mal com eles mesmos e se ressentirem com você. O mesmo acontece quando se elogia alguém em público de maneira efusiva. Sua alegria com o desempenho de um funcionário pode fazer com que os outros se sintam menos valorizados, ignorados ou deixados de lado.

As táticas do pôquer também o protegem de aproveitadores e impedem que abusem de você. Vale a pena praticar sua "cara de pôquer" – neutra mas não antipática – na frente do espelho, para estar preparado para ter uma aparência imperturbável, independentemente do que os outros digam ou façam. As pessoas que intimidam ou implicam adoram reações, por isso, demonstrar emoções fará com que continuem perturbando você. Se mantiver seu rosto e seu corpo livre de emoções, elas perderão o interesse, pois você passará a mensagem de que não foi atingido – mesmo que, por dentro, esteja muito chateado.

VERDADE 39

Não explique e não reclame: ninguém gosta de lamentações

Há um velho ditado que diz: "Quando alguém pergunta as horas, não quer que lhe expliquem como se faz um relógio." Parece óbvio quando dito assim, mas é impressionante ver quantos de nós, ao ouvir uma pergunta desse tipo, optamos por descrever a fabricação do relógio, especialmente quando estamos tensos, na defensiva ou ansiosos por agradar. Isso é algo a se evitar, sobretudo no ambiente de trabalho, onde as pessoas só querem que as coisas sejam feitas de modo rápido e eficiente.

Poucas coisas no emprego irritam mais as pessoas do que ouvir longas explicações e queixas. Essas duas práticas geram uma reação de defesa no grupo – colegas que têm opiniões desfavoráveis sobre você podem atrasar o progresso de sua carreira. As pessoas se irritam ou, pior, deixam de confiar em você.

Qualquer curso de advocacia sobre preparação de testemunhas enfatiza a mesma mensagem: "Menos é mais." Se uma testemunha relatar apenas os fatos mais importantes, ela será vista como confiável, mas assim que começar a explicar os detalhes por trás da pergunta, soará menos autêntica. Qualquer coisa além da resposta simples é confusa, ou pior, parece mentira. O que desperta suspeitas não é o conteúdo, mas a duração e o nível dos detalhes. O mesmo vale para o ambiente profissional. Portanto, sempre que estiver explicando alguma coisa, lembre-se disto: "Menos é mais!"

Reclamações demoradas funcionam da mesma maneira que longas explicações. Ambas sobrecarregam os ouvintes e roubam a energia do assunto em questão. Todas as informações adicionais tiram o foco da mensagem central. Isso não só o torna entediante, mas também significa que você não chegará aonde quer. Por exemplo, se quiser reclamar que a cafeteira está com defeito, é muito mais eficaz explicar o problema rápida e claramente e sugerir uma solução do que discorrer sobre seus detalhes e efeitos.

Reclamações demoradas funcionam da mesma maneira que longas explicações. Ambas sobrecarregam os ouvintes e roubam a energia do assunto em questão.

Reclamações e explicações rápidas e claras não deixam dúvidas sobre o assunto. Os outros provavelmente ficarão mais dispostos a ouvi-lo e entender o que precisa ser feito. Você pode achar que aquele detalhe adicional pintará um quadro mais vívido, mas a verdade é que, quanto mais você falar, menos claras as coisas ficarão, pois o ouvinte não pode captar tudo e não tem um "gancho" ao qual se prender. Você perde o controle da mensagem.

Quando responder a uma pergunta ou fizer uma reclamação, informe apenas o que a outra pessoa precisa saber. Você sempre pode responder com uma pergunta para se certificar de que entendeu o que a outra pessoa quer. Deixar claro qual é o ponto central da questão ou do problema ajudará você a dar explicações objetivas e a transformar as reclamações em observações construtivas.

Qual é a essência dessa mensagem? Explicar e reclamar longamente distorce e enfraquece o que diz, de modo que as pessoas param de ouvir. Se alguém lhe perguntar como chegou a uma decisão, você pode dizer que considerou algumas alternativas e descrever uma ou duas opções, mas sem muitos detalhes. Se ela realmente precisar saber, poderá perguntar de novo. Os poderosos não se queixam nem se explicam – dão seu recado de forma rápida e sucinta.

VERDADE 40

Seja positivo: essa é a melhor maneira de ter coragem quando estiver por baixo

Se você desligar o som da televisão durante uma partida de tênis, ainda assim saberá quem está ganhando. O jogador que deixa os ombros caírem ou faz uma careta após uma jogada errada provavelmente está se preparando para perder. Em contrapartida, aquele que consegue sentir a vitória a seu alcance, após um erro mantém a calma e foca na próxima jogada, concentrando-se para acertá-la e deixar o erro para trás.

Quando você cometer um erro no trabalho, é importante não se concentrar nele, mas canalizar sua energia para virar o jogo. Não se trata apenas de se manter no caminho da vitória, mas os outros também, já que, num ambiente intenso, as emoções são contagiantes. Uma atitude otimista, quando não exagerada, pode se tornar uma força importante, porque a energia positiva é algo que as pessoas querem ou a que aspiram. Se você se esquecer do erro, logo elas também se esquecerão, e a impressão que ficará de você e de sua equipe é a de que são maiores do que os contratempos.

Quando você cometer um erro no trabalho, é importante não se concentrar nele, mas canalizar sua energia para virar o jogo.

Não estou querendo dizer que você não vai dar atenção ao que saiu errado. Vai analisar o que aconteceu e aprender rapidamente com isso. É o aprendizado que conta. Senão, em vez de aprender com o erro ou problema, você o "cultivará". Você deve analisá-lo sob todos os aspectos e pensar nos vários fatores que contribuíram para que ele acontecesse. Dessa forma, não o repetirá. Vê-lo como uma força positiva que lhe traz um aprendizado, em vez de um contratempo negativo, ajudará a superá-lo.

O segredo para administrar um problema ou erro é deixá-lo de lado. Essa é a melhor maneira de rapidamente voltar ao seu ritmo de trabalho. Depois que tiver aprendido a lição, não há necessidade de continuar pensando sobre o que deu errado. O negativismo é posto de lado. Até mesmo um pouco de negação ajudará você a seguir em frente, desde que não tente colocar a culpa em outra pessoa.

As queixas e lamentações nunca ajudam, pois tendem a colocar você e os outros para baixo. Assim que um sentimento negativo é expresso, ele se fortalece e pode literalmente sugar a energia de seus colegas. Isso não significa que você não deve admitir publicamente seus erros, mas não precisa insistir muito neles.

Os erros são grandes oportunidades de aprendizado desde que você saiba administrá-los. O primeiro modo de fazer isso é prever o que pode dar errado e preparar os planos B e C. O segundo jeito é evitar repeti-los. Errar uma vez não é terrível – é uma consequência de se tentar novas ideias e abordagens. Não se ganha nada sem tentar.

A maioria dos grandes líderes e empresas já cometeu um erro grave no passado, mas raramente o repetiu. O rei das balas Milton Hershey, conhecido por todas as pessoas que gostam de chocolate, levou uma empresa à falência, mas perseverou. Apesar de Richard Branson ter dito que queria que sua empresa, a Virgin, se tornasse tão famosa quanto a Coca-Cola, não conseguiu fazer sua marca de refrigerantes decolar. Como tinha sido bem-sucedido em outros ramos, ignorou esse fracasso.

O poder do pensamento positivo não é somente título de livro – é um estilo de vida. Um grau realista de otimismo ajudará você a ter sucesso apesar dos contratempos e o transformará em uma boa companhia.

VERDADE 41

A melhor proteção é um "temperamento Teflon"

Ronald Reagan, um gênio sempre sorridente, tinha uma personalidade que o permitia ignorar fatos desagradáveis. Ele apresentava uma visão positiva do futuro, independentemente do que acontecesse. As más notícias não o atingiam, pois ele não reagia a elas. A maioria dos americanos – de qualquer posicionamento político – admirava o estilo do presidente Reagan e dizia que ele tinha um "temperamento Teflon".

O dia de trabalho é cheio de oportunidades para ficarmos irritados e entediados, desde as pequenas frustrações com o provedor da internet que não funciona até a grande derrota de outra pessoa receber a promoção que deveria ser nossa. Desenvolver um temperamento Teflon é um modo infalível de permanecer calmo, independentemente do que a vida lhe trouxer. As coisas negativas se afastam tão rapidamente que você nem as percebe. A boa notícia é que, mesmo que você não seja tranquilo, calmo e controlado por natureza, com foco e prática pode criar seu revestimento de Teflon e se isolar de conflitos e da negatividade no trabalho.

Com foco e prática você pode construir seu revestimento de Teflon e se isolar de conflitos e da negatividade no trabalho.

Trata-se de um truque mental: visualize esse revestimento e se imagine vestindo-o todas as manhãs antes de sair para o trabalho. Lembre-se dele cada vez que enfrentar uma situação ou conversa difícil. Em contraste com uma armadura imaginária, com suas conotações de batalha e defesa e restrição de movimentos, o Teflon virtual é uma camada fina e invisível que isola você facilmente de qualquer conflito.

É impressionante como essa proteção imaginária pode ser poderosa. É o equivalente visual de contar até 10 quando se irritar. Assim, você aprende a evitar que a frustração o atinja, distanciando-se dela logo de início. Uma vez que você se afasta de uma questão, pode ser imparcial e pensar de modo calmo e otimista sobre o que fazer em seguida. O segredo é a distância e a atitude positiva. Ao contrário do que geralmente se pensa em relação a desabafar tudo, expressar opiniões negativas pode realmente afetar você desse modo, limitando sua capacidade de reagir com energia e criatividade. Esse revestimento ajuda você a encarar as possibilidades a partir de um ponto de vista objetivo e otimista.

Poucos temperamentos Teflon são completamente impermeáveis. De vez em quando aparecem buracos na proteção e as frustrações o atingem. Para diminuir a probabilidade de que isso aconteça, mantenha-se descontraído e livre de estresse. Práticas verdadeiramente básicas ajudam, como dormir o suficiente todas as noites, se alimentar bem, praticar exercícios físicos com regularidade e até algumas técnicas de redução de estresse, como meditar ou respirar fundo. Faça pausas durante o dia para descansar a mente e o corpo, mesmo que seja apenas uma pequena caminhada até o outro lado do escritório. Se alguma coisa atravessar seu revestimento protetor, uma pausa de 15 minutos pode ajudá-lo a voltar ao normal.

A chave para criar objetividade e pensamento positivo é se afastar um pouco de uma situação difícil. Se você demonstrar essas qualidades, os outros verão que é um bom candidato a altos cargos administrativos. Em ocasiões de estresse, um temperamento Teflon é uma excelente carta na manga. Use-a toda vez que precisar enfrentar uma dificuldade.

PARTE IX

A verdade sobre como causar a impressão certa

VERDADE 42

Pense como o departamento de elenco: é importante ter a aparência adequada

O departamento de elenco de uma emissora de TV, por exemplo, mantém fotos de atores disponíveis. Esse catálogo varia desde pessoas de aparência comum, ideais para papéis coadjuvantes como membros de alguma família, até os que se parecem com o arquétipo de médicos e advogados. Esse departamento decide à primeira vista a que tipo de papel um ator se adapta e arquiva sua foto. Para aspirantes a astro e estrela, é muito mais fácil obter o papel se tiverem o perfil apropriado, em vez de convencerem o diretor a escalá-los apesar da inadequação.

O mesmo vale para o aspirante a executivo. Quanto menos trabalho você tiver para convencer um empregador ou cliente de que é a pessoa certa para o cargo, melhor. Uma das coisas mais fáceis a fazer é ter a aparência adequada. Por mais talentoso que seja, se você não tiver a aparência de um profissional, gerente ou líder, os outros poderão não ver você como um deles, mesmo que estejam errados. Isso vale tanto para o caso de estar se candidatando a um cargo quanto para o de já o ter conseguido, mas ainda precisar que os outros o levem a sério.

Vejamos o exemplo da executiva de uma famosa empresa de telefonia móvel dos Estados Unidos. Uma das executivas mais poderosas de sua área, essa mulher tem a consideração da diretoria e o respeito dos funcionários. No entanto, apesar de seu talento excepcional, seu caminho até o topo não foi fácil. Depois de um começo brilhante, quando estava no fim da casa dos 30 anos, ela se viu estagnada na gerência de nível médio, sem conseguir obter a promoção desejada.

O que mudou? Ela se deu conta de que lhe faltava a aparência adequada ao cargo que queria ocupar. Magra e do tipo mignon, usando saias e blusas românticas, ela simplesmente não era "vista" como uma executiva poderosa. Assim que compreendeu isso, começou a usar o uniforme das executivas – cores ousadas e terninhos –, então as pessoas começaram a vê-la de modo diferente. Nossa heroína progrediu rapidamente, conquistando o cargo de seus sonhos antes dos 50 anos.

Qualquer um pode usar as mesmas técnicas:

– Invista em seu guarda-roupa. Observe os estilos e as cores preferidos pelos executivos do seu sexo e use-os como modelo. Um bom terno, nas cores certas para você, costuma ser um investimento sábio. Há algo no molde dos ternos que aumenta o impacto pessoal. Para homens, as cores mais comuns são azul-escuro e cinza, ambas projetando autoridade e confiabilidade. Para as mulheres, não há tantas fórmulas, portanto a observação é muito importante. Preto e azul são cores "seguras", mas não fazem com que você sobressaia. Uma mulher miúda ou tímida pode aumentar o impacto de sua presença com tons fortes. Uma mulher mais alta e confiante pode considerar roupas da cor de seus olhos ou de tons mais suaves.

Observe os estilos e as cores preferidos pelos executivos do seu sexo e use-os como modelo.

– Cuide de seu asseio e use acessórios adequados ao cargo almejado. Uma aparência asseada conta muito. Para os homens, o uso da barba deve seguir as normas da empresa, a menos que você queira afirmar sua individualidade, e cortar os cabelos regularmente fará com que você não pareça desgrenhado. Os cabelos das mulheres devem ter um corte apropriado e não chamar muita atenção. Evite bijuterias extravagantes e echarpes, a menos que atue em uma área que aprecie tanta exuberância, como moda ou mídia.

Nunca se esqueça de que você está atuando no cenário corporativo e que seu papel é adequado a você, mas não é exclusividade sua. Prepare-se para amá-lo como um ator e acredite que você *é* o personagem. Ter a aparência correta é o primeiro passo.

VERDADE 43

Falar da maneira adequada também é importante!

Em 2004, os dois candidatos à Presidência dos Estados Unidos apresentaram suas ideias de modo bem diferente. As abordagens contrastantes ficaram conhecidas como "estilo Bush" e "estilo Kerry".

O "estilo Bush" consistia em pequenas frases de cinco a oito palavras, com poucas conjunções como "mas", "e", "porém". Os comunicólogos representam o "estilo Bush" como uma linha reta: frases fáceis de o ouvinte entender e lembrar.

O "estilo Kerry" é muito mais complexo. Ele faz pausas, adiciona perspectivas diferentes e pensa no que está dizendo, fazendo muitos rodeios. Os especialistas representam o "estilo Kerry" como uma espiral: as frases são mais difíceis de lembrar, já que a mensagem não é simples.

Quem foi o vencedor? Isso mesmo: Bush. Claro que as eleições não são vencidas apenas pelo estilo da apresentação, mas os discursos de Bush sem dúvida tiveram um papel importante em seu sucesso. As pesquisas têm mostrado que frases curtas e simples, pronunciadas sem hesitação, fazem com que o orador pareça estar no controle da situação, seguro de si e de suas opiniões: o tipo de qualidades que esperamos de um líder. Portanto, essas são as qualidades que você quer que os outros no ambiente de trabalho associem a você. Por outro lado, frases longas podem parecer inseguras, hesitantes e fracas – características indesejáveis em um líder.

Frases curtas e simples, pronunciadas sem hesitação, fazem com que o orador pareça estar no controle da situação. Frases longas podem parecer inseguras, hesitantes e fracas.

O tom e o volume da voz também são importantes. Frases curtas e precisas e um tom de voz baixo mas claramente audível são uma combinação poderosa. Juntos, compõem o tom clássico do líder, conhecido como "voz de comando". Generais, diretores e policiais usam esse tom, e todos sabem que são eles que detêm o poder. Falar como eles pode ajudá-lo a conseguir os cargos e as responsabilidades que deseja.

Pratique abaixar sua voz em um tom, imaginando que o som vem de dentro de seus pulmões e não de sua garganta. Ou passe algum tempo exercitando a respiração abdominal e relaxando os músculos do pescoço antes de um evento importante. Esses exercícios são especialmente relevantes para as mulheres mais jovens, que têm a voz mais aguda, o que pode prejudicar sua capacidade e experiência.

Diminuir o tom de voz no final das frases, em vez de aumentá-lo, como em uma pergunta, também demonstra confiança. Um tom que fica mais alto no fim insinua incerteza ou um pedido de permissão. Pode ser adequado a um professor de jardim de infância oferecendo leite e biscoitos às crianças, mas não a um líder.

Você pode praticar a projeção de sua voz – para que durante uma apresentação todos possam ouvi-lo sem que precise gritar – com um colega em uma sala de reuniões. Mantendo o mesmo tom, fale de modo que alguém do outro lado do auditório possa ouvir sem dificuldade. Imagine sua voz atingindo a parede mais distante. Não é alto o bastante? Imagine que ela deve atravessar a parede e ser audível para alguém na rua. Mas mantenha sempre seu corpo relaxado e sua voz concentrada nos pulmões.

Você aprenderá a falar como um líder se praticar em ambientes de baixo risco, que simulem sua realidade, ou até mesmo em casa. Se aperfeiçoar sua técnica quando não estiver na berlinda, não precisará pensar nela quando isso acontecer. Os astronautas que caminharam na Lua pela primeira vez praticaram tanto que, quando o momento chegou, foi realmente "igual ao treinamento". Seguir o exemplo deles ajudará a reduzir o estresse de apresentações e reuniões importantes.

Lembre-se de que a primeira impressão é a que fica. Quando falar com um chefe, um cliente ou um sócio, especialmente pela primeira vez, demonstre segurança e experiência. O modo como você fala tem uma grande influência nisso.

VERDADE 44
Comporte-se!

Quando Aretha Franklin cantou a música "Respect" (Respeito), a maioria das pessoas se identificou com ela. De algum modo, porém, quando queremos realizar algo no trabalho, em nossa pressa ou entusiasmo podemos nos esquecer completamente dessa palavra – respeito. De fato, o principal fator de decisão nas audiências da Comissão de Oportunidades Iguais de Emprego dos Estados Unidos, órgão do Ministério do Trabalho destinado a evitar injustiças causadas por diversos preconceitos no ambiente profissional, é o *modo* como um ex-funcionário foi tratado na ocasião da demissão. O respeito é a questão.

Esse pode parecer um conceito antiquado – algo que se deve demonstrar ao diretor da escola, aos chefes da máfia ou ainda no mundo sombrio da política dos cargos públicos, e por isso considerado "tabu" em nossos ambientes de oportunidades iguais e focados no mérito. Na verdade, no passado, o respeito era amplamente reservado para os "ídolos". É importante lembrar, contudo, que tanto na vida como no trabalho, *todos* querem ser tratados com respeito e acreditar que eles mesmos e o que fazem têm valor.

O respeito, demonstrado a todos ao seu redor, não é uma ideia ultrapassada e pode lhe trazer lucro, dissipando a negatividade e lubrificando as engrenagens da organização. A curto prazo, ele pode facilitar seu crescimento profissional e lhe abrir portas. A longo prazo, estimula a harmonia do local de trabalho, ajudando as pessoas a conviverem melhor. O respeito profissional desenvolve lealdade, estabilidade e processos empresariais sustentáveis.

Você pode pensar que precisará investir muito tempo e energia para exercer uma influência tão grande. Mas a verdade é que, por meio de atitudes simples e alguns agradecimentos, é fácil se tornar conhecido como uma pessoa que tem consideração pelos outros e valoriza suas contribuições. Muitas vezes é apenas uma questão de boas maneiras. Isso não quer dizer que você tenha que ler e decorar um enorme livro de etiqueta. Basta ser consistentemente educado e paciente, dizer bom-dia, por favor e obrigado e prestar atenção às gentilezas básicas, como se lembrar de nomes e cargos.

Eu sempre me surpreendo com pessoas que acreditam não ter tempo para as boas maneiras no trabalho, especialmente quando lidam com o pessoal de apoio. Na verdade, quanto mais baixo for o cargo de um funcionário, mais gentil e simpático você deve ser. Ele vai apreciar sua atitude e lhe retribuirá de formas surpreendentes. Além disso, nunca se sabe o que o futuro reserva. Esses assistentes poderão ser promovidos a posições de poder e influência e se lembrarão da gentileza que você demonstrava para com eles.

Por outro lado, pessoas que se sentem diminuídas podem reagir lhe causando problemas sutis, atrapalhando sua vida profissional, à medida que tentam se vingar de você ou da empresa. A retaliação judicial é uma reação extrema, mas pessoas ressentidas podem tentar criar obstáculos ou se recusar a fazer mais do que o mínimo aceitável por você. Portanto, seja educado e gentil com todos, independentemente de como se sinta em relação a eles. Nunca vale a pena fazer inimigos no trabalho.

No corre-corre do trabalho, frequentemente nos esquecemos de reconhecer as contribuições das pessoas. No entanto, nada poderia ser mais simples do que dizer ou enviar um agradecimento gentil àqueles que saem de seu próprio caminho para tornar sua vida profissional mais fácil. Suas ações têm o enorme poder de conquistar as pessoas. Demonstrar boas maneiras e respeito prova que você é capaz de assumir um cargo de nível mais alto e de crescer na empresa. Aqueles que podem ajudá-lo a crescer sem dúvida notarão seu comportamento.

As boas maneiras e o respeito mostram que você é capaz de assumir um cargo de nível mais alto e de crescer na empresa.

VERDADE 45

É importante saber entrar e sair de cena

William Shakespeare escreveu:

Todo o mundo é um palco,
E todos os homens e mulheres são simplesmente atores.
Eles têm suas entradas e saídas,
E um homem, em sua vida, representa muitos papéis...

As entradas e saídas são momentos estratégicos não somente no teatro, mas também na vida, como sugerem as palavras de Shakespeare. As pessoas tendem a se lembrar mais dos começos e finais do que das coisas que acontecem no meio, e isso não apenas nas peças teatrais, mas também nos papéis que você representa no cenário corporativo. A maneira como entra e sai dos empregos tem uma influência enorme na percepção de seu sucesso, pois é nesses momentos que os colegas e chefes podem observar cada movimento seu. Quanto mais importante for seu cargo, mais você será observado. E as percepções que as pessoas têm nesses momentos tendem a durar por muito tempo.

Quando você entra e sai de empregos, seus colegas e chefes provavelmente notam cada movimento seu.

Muitos profissionais se esquecem que, ao assumir um novo papel, deve se desapegar do anterior. Para sair bem de um emprego, você deve garantir que seu sucessor esteja bem inteirado dele, inclusive sobre reuniões e correspondências estratégicas, e suficientemente preparado para substituí-lo sem problemas. Não se trata de completar absolutamente toda a papelada, tampouco de não deixar nada inacabado. Embora seja importante progredir de modo organizado, é imprescindível saber quando abandonar seu papel e experiência anterior. Isso pode ser difícil para alguém que tenha sido muito bem-sucedido num determinado cargo. Você precisa esquecer que é o melhor no que faz no momento e avançar para uma nova posição de incerteza.

William Bridges, guru das transições gerenciais, descreve o momento de abandonar o que é velho e de começar algo novo como se deslocar para a "zona neutra". Esse pode ser um período instável, já que talvez você se sinta pressionado a causar uma primeira impressão positiva. Seu impulso é de sair fazendo as coisas, ou de "começar com a corda toda", o que é uma péssima ideia. A "zona neutra" é um tempo para se preparar: reunir recursos, apoio e informações de todos os setores envolvidos e pessoas estratégicas, e de mostrar que você sabe ouvir e construir sua visão do futuro.

Tirar um tempo para ter uma transição confortável não significa não fazer nada, mas observar o terreno e pensar em opções para mudanças ou ações futuras. Para isso, é preciso que você realmente ouça a nova equipe e os colegas e observe suas necessidades. Se puder identificar soluções temporárias para ajudar as pessoas a ser mais eficazes ou a resolver questões exasperantes, pode fazer isso, mas dê a si mesmo uma "cláusula de saída", enfatizando que se trata de algo temporário. Manter-se neutro por alguns meses para reunir opiniões, notícias, preocupações e desafios pode não ser tão divertido ou energizante como entrar em ação, mas faz com que você desenvolva seus pensamentos e estratégias para mudar as coisas para melhor a longo prazo. As entradas são momentos muito notórios em sua carreira.

Pense nesse tempo de transição como a passagem do bastão em uma corrida de revezamento – é preciso sintonizar seu ritmo com o do colega no momento de pegar o bastão e começar a correr. Depois, quando precisar sair, não pare de correr enquanto passa novamente o bastão, mas se retire tão logo ele esteja com outro corredor.

VERDADE 46

Sua área de trabalho reflete quem você é (e quem quer ser)

Talvez não se possa julgar um livro pela capa. No entanto, pode-se dizer muito sobre uma pessoa indo até sua área de trabalho. Cada aspecto dela, até mesmo o modo como você coloca os papéis sobre a mesa, emite uma mensagem sobre quem você é e como faz as coisas.

As pessoas interpretam sua área de trabalho como um reflexo de sua personalidade e seu pensamento, goste você disso ou não. Ela é o único ambiente do local de trabalho onde você realmente deixa sua marca. Todos os outros espaços são apenas emprestados pelo tempo que durar uma reunião ou conversa. Portanto, por mais que isso pareça trivial, é importante ter certeza de que sua área de trabalho o apresente de modo positivo. Aproveite a oportunidade para comunicar quem você é e o que aspira ser. Desde a decoração e acessórios até os papéis sobre a mesa, tudo em sua área de trabalho precisa afirmar seu profissionalismo e seu futuro promissor.

É preciso ser cuidadoso com a decoração. O uso discreto de fotos pessoais mostra que você é uma pessoa de família, um bom membro de equipe ou alguém motivado – "Aqui estou eu, no alto do Everest" –, mas protetores de tela bonitinhos, bichinhos de pelúcia e plantas em excesso podem desacreditar seu profissionalismo. Expressar sua personalidade não é algo ruim, mas, no espaço limitado da área de trabalho, cada item se torna mais visível, assumindo um significado maior como símbolo de quem você é. Algumas empresas chegam a ter normas internas sobre o que pode ou não ser colocado sobre as mesas. Na Oracle, por exemplo, apenas um item pessoal é permitido, o que significa que o que você escolher mostrar terá ainda mais significado.

Protetores de tela bonitinhos, bichinhos de pelúcia e plantas em excesso podem desacreditar seu profissionalismo.

Você pode usar a seu favor o espaço restrito ou qualquer limitação obrigatória, escolhendo objetos de decoração que sirvam de ganchos para conversas. Um livro famoso, estrategicamente posicionado, assim como a foto do Everest, pode atrair a atenção de alguém importante que esteja passando por ali e dar início a um relacionamento útil. Não pense apenas no que os objetos escolhidos revelam sobre você, mas também no que os outros dirão sobre eles.

Evite qualquer tipo de desorganização, especialmente pilhas de papel bagunçadas. A mensagem emitida é poderosa e funciona como um "ruído", distraindo os outros de suas atividades. A desorganização não apenas cria uma barreira metafórica entre você e os outros – sugerindo que sua mente não está exatamente no trabalho que vocês compartilham –, mas, se crescer muito, transforma-se de fato em uma barreira física. Quando uma pessoa vem falar com você, normalmente se senta ou fica de pé perto de sua mesa, e qualquer pilha de papel ficará entre vocês. Elas atrapalham até quando estão perfeitamente organizadas.

Não estou falando que você tenha que limpar a mesa todas as noites. Uma escrivaninha organizada demais pode sugerir que você não consegue lidar com muitos projetos ao mesmo tempo. Não há nada de errado com um pouco de desordem, especialmente se estiver no meio de um projeto. A curto prazo, a mensagem que ela passa é: "Estou terrivelmente ocupado e concentrado neste projeto." Mas e se você tiver muitos projetos ao mesmo tempo? Pode rapidamente perder o controle de todos os papéis. O segredo é arrumá-los em caixas de arquivos sobre sua escrivaninha ou numa prateleira. Com o lado desorganizado escondido, o efeito é como uma fileira de livros. Os papéis não ficam à vista e são facilmente acessíveis. Essa prática é especialmente eficiente e até mesmo imprescindível com tudo o que for exclusivo ou confidencial.

Cuidar de sua área de trabalho é um modo simples de se mostrar da maneira mais vantajosa. Sua mesa ou escritório é mais do que um espaço de trabalho ou um arquivo. É um palco no qual você pode atuar de acordo com suas ambições.

PARTE X

A verdade sobre como ser notado

VERDADE 47

Toda apresentação é uma oportunidade de brilhar

Na tenra idade de 16 anos, um jovem chamado William Hague fez um discurso na conferência de seu partido político no Reino Unido. Apesar de sua juventude, ele impressionou a audiência. Vinte anos mais tarde, aquele rapaz se tornou o mais jovem líder do partido Conservador da Grã-Bretanha em mais de 200 anos. Hague tinha construído cuidadosamente sua imagem desde aquele dia em que fora o centro das atenções.

Em qualquer organização, a exposição é a chave para se tornar conhecido e progredir. Os discursos e as apresentações estão entre os melhores meios de se colocar em evidência. No entanto, como em qualquer exposição pública, há certos riscos: se algo der errado, sua reputação pode ser permanentemente prejudicada. É por meio da preparação cuidadosa que você minimiza os riscos e maximiza a possível glória.

Em qualquer organização, a exposição é a chave para se tornar conhecido e progredir.

A preparação não se trata apenas de conhecer o assunto, embora isso sem dúvida seja importante. A verdadeira chave para o sucesso é se preparar para seus ouvintes e as expectativas deles, determinando previamente que mensagem quer passar. Dessa forma, você pode moldar cada aspecto de sua apresentação com essa finalidade. Pense na impressão que quer causar, não somente por meio de suas palavras, mas também pela sua aparência, expressão e linguagem corporal, e pelo modo como responde às perguntas. Quanto menos conhecido for o grupo, mais você deve se preparar. Para um evento importante, não é exagero gastar uma hora preparando cada minuto de sua exposição.

Aqui estão alguns dos comentários que você pode querer que a plateia faça após sua apresentação – e como consegui-lo:

– Você conhece o assunto e está por dentro das questões. Você se mostra um especialista quando apresenta suas ideias com clareza e lógica. A audiência se sentirá convencida se puder seguir seu raciocínio, por isso, apresente seus argumentos de modo a criar um enredo ou um fio condutor. Slides podem ser úteis para ajudá-lo a manter a linha de raciocínio, mas escreva apenas alguns tópicos neles, e não tudo o que quer dizer, para que sua audiência não se concentre na leitura e deixe de ouvir você. Por mais que você ame o assunto, resista à tentação de falar tudo sobre ele. Mantenha o foco e seja breve. A maioria das pessoas só consegue se lembrar de três argumentos principais.

– Você merece ser ouvido. Você se mostra confiável quando se veste e fala como um profissional. Os profissionais se vestem melhor do que seus ouvintes. Se eles estiverem com roupas informais, por exemplo, use um traje social. Você também ganha respeito quando cita pensamentos e opiniões da diretoria. Mesmo nunca tendo falado com eles pessoalmente, suas referências podem insinuar uma associação particular.

– Você responde às perguntas. Você recebe as perguntas com segurança, antevendo as mais prováveis e orientando sua palestra para respondê-las. Fale com as pessoas antecipadamente para descobrir o que elas querem saber ou pergunte às suas equipes o que é mais relevante para elas. Antes de se apresentar a um grupo importante, vale a pena pedir aos colegas que ensaiem com você.

– Você se mantém calmo sob pressão. Você impressiona as pessoas quando lida bem com perguntas difíceis, esquivando-se delas com bom humor, desviando qualquer antagonismo com respostas neutras e calmas, ou admitindo com segurança que não sabe responder, mas que irá pesquisar. Falhas na tecnologia podem lhe dar a chance de obter alguma glória, se reagir com iniciativa e sangue-frio. Esteja preparado para o caso de os slides não funcionarem, por exemplo, e contente-se em falar sem eles.

VERDADE 48

Todos têm uma reputação

Na adolescência, começamos a aprender sobre nossa reputação e a nos preocupar com ela. A maneira como as outras pessoas nos veem, seja no bairro ou na escola, começa a importar, influenciando nosso comportamento e nossa escolha de amigos. Essa conscientização ou até mesmo redefinição de identidade é uma etapa fundamental para os adolescentes. Podemos descobrir como uma história contada sobre nós pode estar errada ou ser parcial se comparada ao modo como nos sentimos em relação a nós mesmos. O "atleta" da escola, no fundo, pode ser o cara mais tímido da turma.

Apesar de se tornar uma preocupação menor, o fato de termos uma reputação não passa com a idade. Em todos os lugares em que trabalhar, você terá uma, e ela afetará o modo como seus colegas o percebem. Você pode conhecer parte da história, mas raramente saberá de toda ela, porque algumas coisas nunca serão ditas na sua frente! Ela se espalha a cada vez que alguém fala de você no trabalho e quando os outros repetem partes do que ouvem. Uma vez que uma história se estabeleça, pode ser difícil desmenti-la. O fato de você ter se aborrecido com alguém em uma reunião há muito tempo, por exemplo, pode fazer com que seja considerado "temperamental" por um longo período. Por isso vale a pena estar consciente de sua reputação e assumir o controle dela.

Se você se aborreceu com alguma coisa em uma reunião, pode ser considerado "temperamental".

A boa notícia é que você tem o poder de influenciar sua história – longe de ser um mero espectador passivo, você pode ajudar a escrevê--la. É sua responsabilidade definir quem você é. Uma grande autora de sua própria história foi a rainha Elizabeth I, que se autodenominava a "Rainha Virgem". A história sugere quase com certeza que isso não era verdade, mas ela afirmou isso vezes suficientes para que os estudantes ingleses ainda hoje, 500 anos depois, repitam sua versão.

Tenha em mente estas três práticas principais quando assumir o controle de sua história pessoal no trabalho:

– **Diga aos outros quem você é.** Decida como quer ser conhecido na empresa e certifique-se de mencionar isso quando encontrar, cumprimentar ou negociar com alguém importante – e, idealmente, com qualquer pessoa em geral. (A quanto mais pessoas você conseguir contar a história do seu jeito, melhor.) Uma mensagem clara, repetida com frequência, ajuda os outros a se lembrarem de você e daquilo que representa. Se quiser ser conhecido por seu talento comercial, por exemplo, precisa falar sobre como fazer dinheiro ou alavancar negócios em todas as oportunidades.

– **Esteja consciente de como você e suas palavras são percebidos pelos outros.** Não é apenas o que você diz, mas como o faz. Você nunca pode ter certeza de como as pessoas interpretarão seus discursos. Se falar sobre alguma coisa com muita paixão, por exemplo, pode parecer intenso ou agressivo e, consequentemente, ser rotulado desse modo. Então, pense bem no tom e no volume de sua voz, e na velocidade com que fala. Pense também nas impressões que isso pode gerar, especialmente quando for surpreendido por alguma coisa. Uma reação imediata mas exagerada pode criar uma história que se espalhe muito – e rápido demais.

– **Certifique-se de que os outros saibam de suas atividades e realizações.** A maneira como seu desempenho é percebido é o terceiro componente de sua reputação. Quando você fizer um bom trabalho ou ganhar muito dinheiro de modo aparentemente fácil demais, os outros poderão pensar que você usou meios desonestos ou que apenas teve sorte. Com certeza você não deve nem se gabar nem reclamar sobre quanto trabalha, mas precisa deixar claras sua estratégia e suas táticas para que você e sua equipe recebam o crédito merecido.

O tempo que você passa pensando na história que quer escrever e construindo esse enredo é sempre bem gasto. Cada dia oferece uma nova oportunidade de moldar sua reputação na empresa.

VERDADE 49

Seu modo de agir indica sua posição na empresa

Apesar de os tempos da aristocracia, com os senhores e servos humildes, terem desaparecido há muito, ainda restaram alguns vestígios no modo como as pessoas, muitas vezes inconscientemente, se comportam com outras que acreditam ser inferiores ou superiores a elas. É importante compreender como esse tipo de comportamento pode afetar o modo como você é visto no trabalho. A impressão que causamos possui um componente subliminar. Quando você age como servo, mesmo nos pequenos detalhes, essa pode ser exatamente a ideia que os outros terão de você.

Quando você age como servo, mesmo nos pequenos detalhes, essa pode ser exatamente a ideia que os outros terão de você.

Os servos reagem rápida e responsivamente às necessidades de seus empregadores. Podem até mesmo saltar e correr para atender quaisquer pedidos. Há profissionais que agem assim na empresa. Se você for um deles, provavelmente não vê isso como uma coisa ruim. Pode até ter sido elogiado por esse comportamento. É possível que você seja uma pessoa altamente responsável e comprometida, com quem os outros podem contar para que o trabalho seja feito. O problema é que essa rapidez com que você executa as tarefas pode fazê-lo parecer um servo, e não alguém destinado a uma posição de autoridade. A coisa fica ainda pior quando você se apressa fisicamente. Se quiser progredir em sua carreira, você precisa aprender a reagir de modo profissional e na hora certa, sem agir rápido demais.

O que significa "agir rápido demais" na prática?

– Atendendo ao telefone. Para começar, há algumas regras simples mas significativas, como, por exemplo, não atender ao primeiro toque. Atender muito rapidamente pode passar a ideia de que você está sentado ao lado do telefone esperando receber ordens. O ato de esperar até o segundo ou terceiro toque transmite a quem está ligando a mensagem de que você tem outras preocupações em mente.

– **Respondendo a e-mails.** Da mesma forma, não deixe que as pessoas se acostumem a respostas instantâneas. A menos que sejam urgentes, redija suas mensagens e deixe-as na pasta de Rascunhos para serem enviadas ao fim do dia. Não se trata de fazer as pessoas esperarem, você só está deixando claro que tem seus próprios assuntos a cuidar.

– **Concluindo tarefas.** A mesma lógica deve ser aplicada a qualquer projeto no qual você esteja trabalhando. Novamente, não há necessidade de fazer corpo mole, apenas não se apresse demais para terminar se não houver necessidade. Planeje seu trabalho a fim de concluir a tarefa com calma, dentro do prazo combinado. Desse modo, as pessoas o verão como confiável e competente, mas entenderão implicitamente que não podem se aproveitar de sua bondade para fazer exigências absurdas.

Quando começar em um novo emprego, mostre que está no controle desde o início. É mais difícil tentar mudar os hábitos depois de muito tempo no mesmo cargo, pois, mesmo que você ainda tenha um desempenho acima da média, as pessoas poderão notar que suas respostas estão mais lentas. Previna-se, avisando que está sobrecarregado e que por isso vai diminuir o ritmo. Elas podem ficar desapontadas, mas não poderão acusá-lo de negligência.

Quem está no controle de sua própria vida profissional age de modo consciente e moderado. À medida que você passa a cargos mais altos, precisa trabalhar no aperfeiçoamento do ritmo executivo, enquanto mantém o bom desempenho que o fez chegar lá. As pessoas o respeitarão por isso.

VERDADE 50

Se você quiser que algo seja lembrado, registre por escrito

Thomas Paine, um frustrado cobrador de impostos inglês, se mudou para as colônias americanas em 1774. Quando se imbuiu do espírito revolucionário da época, sua vida adquiriu um novo significado. Paine começou a divulgar algumas de suas interessantes ideias por meio de panfletos. Ele desafiava os homens das 13 colônias a deixarem de ser "soldados de verão e patriotas do sol" e a se revoltarem contra os impostos sem representação cobrados pela metrópole. Esses panfletos tornaram-se extremamente populares. Paine inspirou o exército de George Washington a ir a campo lutar por seus direitos.

Hoje não usamos panfletos para nos comunicar com o mundo, mas e-mails, relatórios, artigos, slides, etc. O impacto e a lição, porém, continuam os mesmos. Colocar suas ideias por escrito faz com que a mensagem seja muito mais notada e lembrada do que se você simplesmente falasse sobre ela. Além disso, escrever ajuda a consolidar o pensamento, pois o obriga a articular claramente informações e opiniões. Por mais doloroso que seja moldar essas centelhas de ideias na forma de cartas, palavras e frases organizadas, isso dá a você e a seus leitores algo sólido e acessível em que concentrar corações e mentes.

Registrar pensamentos e debates por escrito garante que as boas ideias não se percam na confusão. Quando você está em uma reunião ou discussão no trabalho, surgem ótimas ideias. A menos que se tornem itens a serem executados e sejam anotadas, elas rapidamente se dissiparão. É fácil se esquecer ou se lembrar apenas vagamente do que foi dito. Na prática, se o fato não estiver na ata ou nas anotações da reunião, não aconteceu. Por isso, se estiver em um encontro cujo resultado seja importante para você, o melhor é pedir que seja feita uma ata. Se não houver uma pessoa responsável por isso, você mesmo pode escrevê-la e distribuí-la.

Durante as reuniões, surgem ótimas ideias. A menos que se tornem itens a serem executados e sejam anotadas, elas rapidamente se dissiparão.

Paine descobriu que palavras escritas de forma simples, sobretudo se for feito com paixão e compromisso, podem unir as pessoas em torno de princípios comuns passados de um para outros. Um ponto de referência compartilhado é estabelecido, criando fundações firmes sobre as quais se podem construir futuras ações coletivas. Então, se você quiser realizar alguma coisa no trabalho, em vez de apenas mencionar isso aos colegas ou resmungar durante o cafezinho, tire um tempo para colocar o assunto no papel na forma de documento a ser discutido ou crie rapidamente alguns slides para apresentar na próxima reunião de estratégias. As pessoas então começarão a levar a ideia a sério, pois se lembram muito mais daquilo que veem do que daquilo que ouvem.

Outra boa razão para escrever é que essa prática permite que suas ideias cheguem a lugares aos quais você não pode ir. Se você ficar conhecido por ter elaborado determinado documento ou relatório, alguém pode passá-lo para uma pessoa importante, que pode gostar de suas ideias e começar a prestar atenção em você de um modo que não teria feito em outras circunstâncias.

No entanto, tenho uma advertência a fazer: a palavra escrita é tão memorável que você precisa tomar cuidado. Esteja absolutamente certo de que seus pensamentos não vão envergonhar nem você nem a empresa. Uma vez que o documento tenha sido distribuído, não poderá mais ser recolhido. Mas, se quiser que as pessoas falem sobre suas ideias, coloque-as por escrito!

PARTE XI

A verdade sobre como ser promovido

VERDADE 51

É responsabilidade sua provar que está pronto para o próximo nível

Você já está nesse emprego há três anos: é hora de crescer. Parece correto, não é? Errado. Restam poucos empregos nos quais você progride em função do tempo de serviço. Hoje em dia, as empresas querem saber se a cada ano você teve experiências mais complexas e que exigiram mais responsabilidade ou repetiu os mesmos desafios três vezes.

Vejamos, por exemplo, o caso do juiz da Suprema Corte de Oklahoma, que ficou contrariado por não ter sido eleito presidente da Suprema Corte por seus colegas. Ele pensou que suas décadas de experiência e boa reputação fariam com que vencesse qualquer candidato, garantindo-lhe a promoção, mas se esqueceu de que um juiz – que basicamente cuida do próprio trabalho – precisa de competências diferentes das de um Presidente da Suprema Corte, que deve coordenar uma equipe. Nesse caso, identificar e cultivar habilidades essenciais para o próximo nível é mais importante do que ser excelente no cargo atual. Isso também vale para você.

Identificar e cultivar habilidades essenciais para o próximo nível é mais importante do que ser excelente em seu cargo atual.

Se você quiser ser promovido, a responsabilidade de ganhar experiência e de desenvolver atributos que o ajudarão no próximo nível é sua e de mais ninguém. Aproveite cada oportunidade para desenvolver as habilidades necessárias. Então, quando sentir que é hora de agir, mais uma vez é sua a tarefa de atrair a atenção para sua capacidade. Ajude os outros a descobrirem quanto você progrediu, buscando oportunidades de aplicar as habilidades que adquiriu. Faça isso sem desmerecer a capacidade dos outros. Você não deve prejudicar a imagem de ninguém para melhorar a sua.

A melhor opção é provar que você pensa e age como alguém do próximo nível. Seguem algumas dicas de como tomar a iniciativa para isso:

– **Coloque-se no lugar de seu chefe.** Descubra o que preocupa seu chefe no momento e procure meios de ajudá-lo a atingir seus objetivos. Você pode conseguir apoio popular para uma iniciativa, por exemplo, mostrando que é capaz tanto de criar redes de contatos quanto de unir as pessoas.

– **Escreva um documento com considerações** sobre o que é importante para seu departamento ou sua função, agora ou no futuro, e distribua-o às pessoas responsáveis pelas decisões. Isso estimulará seus pensamentos e agirá como uma prova de que você pensa como alguém em um nível mais alto.

– **Desenvolva um documento para discussão e divulgue-o fora de seu setor,** pedindo ideias sobre algumas iniciativas. Esse documento não precisa ser rebuscado. Tópicos simples funcionam muito bem. Apresente abertamente as ideias resultantes e o consenso geral, dando crédito a todos os envolvidos, o que não apenas gerará aprovação como também mostrará que você é capaz de trabalhar com outros grupos.

– **Identifique os obstáculos que impedem sua equipe de ser o mais eficiente possível.** O que é preciso para superá-los? Divulgue ideias com soluções, estabelecendo possíveis custos e consequências. Você não precisa apresentar uma resposta definitiva, mas ofereça sugestões viáveis para discussões posteriores.

– **Procure oportunidades de se unir a uma força-tarefa ou a uma equipe de projetos** sobre alguma questão urgente. O simples fato de se candidatar a participar de alguma delas já mostra que você está pensando nas necessidades da empresa de modo mais amplo. Se puder liderar ou até mesmo formar uma equipe, melhor ainda.

– **Finalmente, mas não menos importante, tenha certeza de que alguém assumirá suas tarefas antigas.** Talvez seja a hora de treinar e orientar um sucessor para o cargo que você ocupa agora. Então não haverá mais desculpas para não deixarem que você progrida.

VERDADE 52

O fator bem-estar conquista o comprometimento dos outros

Quando Lyndon B. Johnson estava no Senado americano, ele dizia a seus mentores, como Sam Rayburn e Franklin Roosevelt: "Você é como um pai para mim." Com seu jeito simples do Texas, ele se associava ao "fator bem-estar": como seus mentores se sentiam bem quando estavam em sua companhia, se sentiam bem em relação a ele.

Eu chamo essa atitude de "demonstrar respeito". Pode parecer um conceito um pouco antiquado, o tipo de coisa que as pessoas faziam com reis e rainhas nos livros de história. No entanto, é importante nos conscientizarmos de que o ambiente profissional de hoje não tem menos hierarquias e alianças do que as cortes do passado, e o melhor que temos a fazer é observá-las e respeitá-las. No local de trabalho contemporâneo, você não deve apenas servir aos que estão acima de você, mas também tratar com respeito seus colegas e subordinados.

Demonstrar respeito não é ser falso ou subserviente, mas fazer com que os outros, independentemente de serem seus chefes ou funcionários, sintam-se bem com eles mesmos e com o que fazem para ajudá-lo, e que associem essa sensação a você. Significa dizer às pessoas como elas foram úteis para você ou para a empresa, prestar atenção ao ponto de vista de alguém ou simplesmente agradecer sinceramente por um serviço prestado. Essa é uma habilidade importante para todos, qualquer que seja seu nível hierárquico.

Demonstrar respeito é fazer com que os outros se sintam bem com eles mesmos e com o que fazem para ajudá-lo, e que associem essa sensação a você.

Os políticos compreendem como é importante demonstrar respeito. Os empresários podem aprender muito com eles. Minha mãe certa vez encontrou John F. Kennedy e nunca mais esqueceu aquele momento. A capacidade de concentração e escuta que ele tinha eram tão admiráveis que fez com que ela se sentisse a única pessoa na sala. Bill Clinton tem uma reputação parecida. Essa habilidade de realmente ver e ouvir a outra pessoa é excepcional; todos querem seguir quem a possui. Quando um colega lhe diz quanto gostou de encontrar alguém, essa pessoa provavelmente demonstrou respeito por ele, conscientemente ou não.

Então, como você pode se tornar uma dessas pessoas? Procure oportunidades de informar a seus contatos estratégicos experiências positivas que você teve com eles, como quando fizeram um bom trabalho, disseram alguma coisa interessante ou o apoiaram de algum modo. Seja específico sempre que puder, para que saibam por que você acha que eles são bons. As pessoas sempre gostam de que seus nomes e pequenos detalhes sobre elas sejam lembrados, como, por exemplo, para onde viajaram nas férias. No entanto, evite o tratamento obsequioso e elogie e dê atenção apenas quando isso for merecido. Se você tiver gostado de uma palestra, por exemplo, pode parabenizar o orador. Funciona melhor se elogiar algo específico, como sua organização ou impacto, em vez de fazer um comentário genérico.

Demonstrar respeito é se esforçar para expressar pensamentos e sentimentos genuínos, e não fingi-los. A maioria das pessoas consegue reconhecer os bajuladores. Lembre-se de que é mais fácil elogiar pessoalmente do que por escrito. Às vezes um comentário informal parece exagerado quando colocado no papel. O que parece funcionar melhor são as pequenas homenagens frequentes e irregulares.

As pessoas mais capazes de demonstrar respeito são agradáveis, mostram sua admiração e ajudam os outros a se sentirem bem com eles mesmos. Não há nada de antiquado nisso!

VERDADE 53

Simpatia significa progresso

Ser simpático ajuda a ser persuasivo. De fato, de acordo com as pesquisas de opinião da Gallup, a simpatia é o único elemento que tem sido absoluta e infalivelmente usado para predizer o vencedor de uma eleição.

Sejamos claros. A simpatia não tem nada a ver com ser muito engraçado ou a pessoa mais animada da festa. Nem com ganhar o concurso de popularidade do escritório. Pessoas simpáticas são simplesmente aquelas com quem nos sentimos à vontade e que tratam todos com justiça e educação. Esses traços de personalidade fazem os outros baixarem a guarda, ficarem à vontade em sua presença e felizes por lhe darem tempo e atenção. Desse modo é mais fácil conseguir o que você quer deles, já que estarão procurando maneiras de afirmar essa ligação que sentem com você.

Pessoas simpáticas são aquelas com quem nos sentimos à vontade e que tratam todos com justiça e educação.

Pense em dois candidatos a uma promoção. Um é jovem e inexperiente. Amável e sincero, ele tem um comprometimento legítimo com o bem-estar das pessoas e uma tendência ao pensamento positivo. As pessoas realmente gostam de trabalhar com ele. O outro candidato é um gerente de grandes equipes, muito tarimbado e eficiente. É perspicaz, severo, pedante e gosta de pintar o pior cenário possível para fazer com que as pessoas entrem em ação.

Quem vai ganhar a promoção? Provavelmente o candidato mais jovem. A administração pode decidir que é mais fácil ensinar ao executivo inexperiente algumas habilidades gerenciais do que tentar aperfeiçoar as habilidades interpessoais do funcionário mais experiente.

O gerente mais jovem nesse exemplo pode ter um charme natural, mas também é um jogador esperto. Ele sabe que tipo de atitude no ambiente de trabalho traz os outros para seu lado, fazendo com que se sintam apreciados e importantes. Mesmo que você não se veja como alguém carismático e sociável, pode seguir o exemplo que demos e se tornar mais simpático simplesmente dando a si mesmo tempo e espaço para ser solidário com as necessidades e preocupações dos outros, em vez de sempre ver o mundo a partir de sua própria perspectiva.

De fato, esses são os traços fundamentais da simpatia: empatia e consideração pelos outros. A pior coisa que você pode fazer, se quiser que as pessoas gostem de você, é concentrar suas energias em tentar ser simpático. O personagem Willy Loman, no clássico de Arthur Miller, *A morte do caixeiro-viajante*, tenta de todas as maneiras ser "benquisto" e nunca atinge sua meta. Se você fizer o mesmo, os outros o perceberão como uma pessoa carente e sentirão seu desespero. Em contraste, você deveria concentrar suas energias em promover o bem-estar das pessoas, de modo que elas se sintam bem consigo mesmas quando estiverem com você. Então a simpatia vem naturalmente. Não deixe de ouvi-las com atenção e pare para falar com cada colega e com os novatos. Cuidado para não passar sermões nem tentar mostrar como você é esperto. Fale e se comporte discretamente. São as ações silenciosas e sutis, mas atenciosas e comprometidas, que fazem toda a diferença.

A opinião dos outros tem uma grande influência em sua vida profissional. Quanto mais gostarem de você, mais fácil será obter seus votos, seja você um ator de televisão, um candidato político ou um executivo.

VERDADE 54

O trabalho é um jogo que vale a pena saber jogar

As analogias esportivas são usadas diariamente nas empresas. Podemos não ser astros do futebol, mas ainda assim "damos cobertura" às pessoas quando as apoiamos, "vamos para o gol" quando aceitamos responsabilidades e "metemos a bola na trave" quando falhamos em alguma tarefa. O futebol também entra no vocabulário quando nosso chefe "nos dá um cartão amarelo", ou quando "driblamos" o adversário.

Além da gíria, há outros importantes pontos em comum entre a vida profissional e os esportes. Como muitas atividades em grupo, o trabalho é um jogo com regras próprias. No entanto, não deixe que a palavra "jogo" o engane. O trabalho não tem nada de brincadeira. Trata-se de um campo no qual estratégias reconhecidas são colocadas em prática, resultando em vencedores e perdedores. Se você quiser estar no primeiro grupo, precisa "jogar em equipe", descrevendo os outros de modo positivo. Além disso, deve respeitar as regras, certificando-se de ficar dentro dos limites do campo. Divirta-se enquanto aprende as regras e trabalhe diariamente no aperfeiçoamento de suas estratégias, assim como você faria com seu saque ou seu chute a gol.

Como muitas atividades em grupo, o trabalho é um jogo com regras próprias.

Todas as empresas têm suas regras específicas para o comportamento dos funcionários – definições não escritas sobre o que é considerado adequado e eficaz em termos de desempenho e relações interpessoais. As expectativas mudam de uma organização para outra, influenciadas por sua cultura e localização – especialmente a da sede. Uma empresa sediada em Nova York tem normas diferentes daquelas de uma empresa com base em Atlanta ou em Londres.

Por exemplo, o modo como as pessoas falam umas com as outras pode ser mais direto nas empresas de Nova York.

Como você sabe se está respeitando os limites do campo? Obtendo o bom e velho feedback o tempo todo. Seu chefe – seu treinador na empresa – em geral é seu melhor avaliador. Esteja atento a suas críticas e orientações ou insista em avaliações regulares, se você não as receber automaticamente. Os astros dos esportes recebem suas estatísticas ou avaliações semanalmente. Embora algumas atitudes, como mentir e trapacear, estejam claramente fora dos limites, outros pequenos hábitos inconscientes podem se tornar pedras no caminho do bom desempenho sem que você perceba o problema.

Vejamos o caso de Sam. Ele trabalhava em uma das 50 melhores empresas da lista da revista *Fortune* e, embora fosse bem-visto, tinha o terrível hábito de fazer observações sarcásticas aos colegas. Dizia coisas do tipo "suas chances de conseguir fazer isso são as mesmas de uma bola de neve no inferno" para alguém que estivesse trabalhando em um projeto difícil. Sam ficou chocado quando seu chefe lhe disse que ele corria o sério risco de ser expulso do jogo por causa de seu jeito de lidar com as pessoas, e imediatamente começou a agir com extrema gentileza para mudar a percepção que os outros tinham dele. Mas se esforçou tanto que acabou indo de um extremo ao outro, fazendo com que as pessoas ficassem desconfiadas e ofendidas.

O chefe de Sam então o ajudou a encontrar o caminho certo. Ele devia tratar as pessoas de um modo entre o neutro e o positivo. Sam percebeu que estava aprendendo quando hesitou ao começar a dizer algo sarcástico. Até se explicou: "Sou um grosso em recuperação." Seu campo de jogo era mais ou menos assim:

Fora dos limites	Dentro dos limites	Fora dos limites
Extremamente gentil, concordando com todos	Entre neutro e positivo, esperando bons resultados	Sarcástico, cínico ou negativo

Há um campo de jogo para cada tipo de comportamento. Quando você tiver entendido o que é desejável ou permitido, como todo grande atleta, poderá escolher jogar nas margens dos campos de vez em quando, mas não saia dos limites com muita frequência.

VERDADE 55

Para causar uma boa impressão quando falar, você precisa de pausas e impulsos

Você já se perguntou por que, quando algumas pessoas falam, todos se voltam para ouvi-las? Ou por que algumas pessoas são mais frequentemente interrompidas do que outras? Não é provável que o conteúdo do que dizem seja especialmente entediante ou interessante. E também não tem nada a ver com a presença ou a ausência de algo "mágico", como carisma. Em essência, é tudo uma questão de ritmo: a batida e o timing do que dizem.

Causar uma boa impressão ao falar – provocar uma impressão forte, positiva e memorável – requer um ritmo firme e confiante, nem rápido nem lento demais. As pausas precisam ser feitas na hora certa e deve-se dar ênfase a palavras e pensamentos estratégicos. Quando fizer uma palestra ou apresentação importante, trate o que diz como um cantor trataria uma canção. As palavras ou letras sozinhas não são suficientes para chamar a atenção do público. É o ritmo ou a melodia que dá vida a elas.

Quando fizer uma palestra ou apresentação importante, trate o que diz como um cantor trataria uma canção.

Roberta, nascida em Nova York, falava com muito entusiasmo e energia. Durante suas apresentações, raramente parava para respirar. Como não tinham a oportunidade de acrescentar qualquer aparte, os outros a interrompiam no meio da frase ou simplesmente se distraíam depois de algum tempo. Sem pausas no fim das frases ou após palavras-chave, era impossível processar o que ela dizia.

Philippe, de Montreal, parecia ter o problema oposto. Quando falava com os outros, ele se perdia depois de algumas frases. Então outra pessoa tomava a palavra e passava a dirigir a conversa. Durante uma reunião, ele era interrompido várias vezes e achava difícil argumentar.

O que Roberta e Philippe tinham em comum era a solução para seus problemas sobre falar em público. Quando cada um deles, auxiliados por um instrumento usado para regular o andamento musical chamado metrônomo, começou a aplicar o que chamo de técnica de oratória de "pausa e impulso", imediatamente passou a atrair mais a atenção de seus ouvintes e, com o tempo, conquistou mais respeito. Roberta usou o metrônomo para desacelerar seu ritmo, fazer pausas e contar até três depois do fim das frases. Philippe escreveu o que queria comunicar e manteve o curso firme com o aparelho até concluir seu pensamento.

O ritmo que causa impacto tem três componentes essenciais:

– **Cadência.** Todos compreenderão o que você diz se falar em uma cadência constante, lenta o suficiente para poder enunciar as frases cuidadosa e completamente. Treinar com um metrônomo o deixará mais consciente do seu ritmo de voz.

– **Pausa.** Fazer uma pausa após cada frase ou palavra importante as torna mais memoráveis, pois elas sobressaem no silêncio. Por exemplo, na frase "Não pergunte o que seu país pode fazer por você, pergunte o que você pode fazer por seu país", se fizer uma pequena pausa depois do primeiro "você", atrairá a atenção das pessoas para o que se segue.

– **Impulso.** Dar mais "impulso" ou ênfase às ideias importantes faz com que os outros fiquem mais atentos e se lembrem melhor delas. Na primeira parte da frase do exemplo anterior, você pode dar destaque à palavra "país", e na segunda parte, à palavra "você", estabelecendo a chave da mensagem na mente de seus ouvintes.

A cadência, a pausa e o impulso ajudam a dar forma à sua mensagem. Lembre-se desses três elementos sempre que precisar convencer alguém de seu ponto de vista. Causar impacto ao falar é uma das melhores maneiras de ser notado e considerado para posições de liderança.

PARTE XII

A verdade sobre como continuar progredindo

VERDADE 56

Um bom plano de carreira requer autoconhecimento

Um jovem executivo chamado Robert passou relutantemente pelo programa de planejamento de carreira da General Electric: três dias estudando sobre aonde ele queria chegar em cada etapa de sua vida profissional. Bastante ocupado na época, Robert, que tinha apenas 24 anos, achou que era um pouco cedo para esse tipo de coisa. No entanto, após terminar o programa, descobriu como gostava de ser responsável por muitas pessoas e determinou que sua meta a longo prazo seria se tornar o melhor em sua profissão e atuar em uma grande empresa antes de chegar aos 50.

Quando sua carreira em uma grande empresa eleita pela revista *Fortune* como uma das 50 melhores do mundo começou a dar sinais de estagnação, Robert manteve esse objetivo em mente. Ele sabia que precisaria se mexer se quisesse alcançar sua meta. Então trabalhou em outras quatro empresas, progredindo a cada vez que mudava de emprego, sempre pensando no objetivo final. Agora, com quase 60 anos, ele superou sua meta inicial: é o presidente de uma gigante americana avaliada em 30 bilhões de dólares, e atribui seu sucesso àquele curso realizado há 36 anos, que o ajudou a esclarecer seus objetivos profissionais.

Todos podemos aprender algo com a clareza de objetivos de Robert. No entanto, é um erro supor que você tem a mesma ideia que ele sobre o que é uma carreira bem-sucedida e tentar imitar sua estratégia. Acreditar que a maioria das pessoas tem a ambição de progredir profissionalmente é um mito – reforçado pela cultura de que promoção significa sucesso. A verdade é que os indivíduos são motivados e se comprometem com coisas diferentes. O melhor que você pode fazer por seu plano de carreira é se conhecer bem. Dessa forma, poderá se concentrar no que realmente quer.

O melhor que você pode fazer por seu plano de carreira é se conhecer bem.

Há quatro meios principais de obter satisfação no trabalho: promoção, segurança, liberdade e crescimento. Qual deles, sozinhos ou combinados, você deseja conquistar?

– Promoção. Pessoas com esse perfil gostam de competições, trabalho individual e riscos. São boas em planejamento com anos de antecedência e se sentem à vontade trabalhando em ambientes altamente políticos.

– Segurança. Quem faz essa opção gosta de ser competente. Pode dar a impressão de estar tentando defender seu território e de desejar se tornar um especialista insubstituível, sabendo mais do que qualquer um sobre algum assunto do trabalho, como, por exemplo, questões legais ou financeiras. Pode odiar tirar férias, já que precisa se sentir insubstituível.

– Liberdade. Essas pessoas gostam de poder fazer as suas coisas. Frequentemente descobrem nichos em áreas obscuras que as capacitam a sair em busca de seus interesses pessoais. Carreiras acadêmicas ou de consultoria podem permitir que determinem seus próprios padrões de trabalho, mas em geral preferem trabalhar como autônomas ou ter seu próprio negócio.

– Crescimento. Essas pessoas precisam trabalhar em algo que, além de considerarem importante, amem apaixonadamente. Gostam de desafios e podem se tornar empreendedores, pesquisadores ou líderes de projetos.

Se você não descobrir imediatamente qual é o seu perfil, tente fazer uma lista de três colunas com "O que eu preciso no trabalho", "O que eu quero no trabalho" e "O que eu não quero no trabalho". Escreva tudo o que vier à sua mente e observe os temas e padrões que surgirem. Dessa forma estará em uma posição privilegiada para ver como as oportunidades coincidem com esses temas. Reavalie sua lista a cada seis meses. À medida que experimentar diferentes situações de trabalho, saberá mais claramente o que quer, e quanto mais rica e clara for sua visão, mais fácil será abrir caminho em direção a ela.

Conhecer a si mesmo e saber aonde quer chegar pode ajudar a se concentrar em uma visão mais ampla de sua vida profissional e diminui as chances de que você se distraia ou seja desencorajado pelas pequenas frustrações e demoras. Também evita que você assuma o cargo errado só porque acredita que deve aceitar a promoção. Pode ser melhor ficar onde está, fazer um desvio ou até mesmo mudar de empresa.

VERDADE 57

Ser promovido significa abrir mão do passado

Quando você passa de uma posição na qual é o astro individual para outra em que é responsável por administrar muitas pessoas, o jogo muda completamente. Os mesmos pontos positivos que o ajudaram a se fazer notar e a progredir – alta motivação, atenção aos detalhes e acompanhamento constante – agora podem derrubar você, se forem usados exatamente do mesmo modo que antes.

Ser promovido a um cargo gerencial é uma das transições mais difíceis da vida profissional. A tentação é continuar fazendo aquilo em que você é bom, além de suas novas responsabilidades, tentando de algum modo conciliar tudo. Isso está categoricamente errado. Você precisa abrir mão de suas antigas tarefas e do modo como fazia as coisas para poder se concentrar em realizar bem seu novo trabalho. Além disso, é preciso que abra mão para que sua equipe possa continuar com seu próprio trabalho, que agora incluirá o que você fazia antes. Esse processo pode levar tempo – algo que talvez você ache que não tem –, mas, a menos que você invista sua energia na definição de sistemas e relacionamentos, irá adquirir hábitos errados e nunca será capaz de progredir de verdade.

O problema é que quanto melhor você for no que faz, mais frustrante será abrir mão disso. Quando tiver terminado de explicar a alguém como executar uma tarefa, provavelmente já a terá feito você mesmo. É difícil acreditar que as outras pessoas não trabalhem exatamente como você e não façam o que é preciso sem que você tenha que pedir. Também é difícil aceitar que existam maneiras diferentes de fazer as coisas. No entanto, elas precisam ser feitas.

Ser promovido a um cargo gerencial é uma das transições mais difíceis da vida profissional.

Seguem algumas estratégias para tirar as mãos da massa quando começar em um novo cargo, concentrando-se onde e quando importa:

– **Deixe de ser perfeccionista.** Uma das coisas mais importantes que você pode fazer por você mesmo e pelos outros é abandonar qualquer expectativa de perfeição. Elas pertencem ao passado.

– **Comunique suas expectativas.** Defina parâmetros coerentes e razoáveis para sua equipe. Esclareça seus padrões de desempenho competente (e não perfeito!). Isso pode ajudar você a dar exemplos de bom trabalho em equipe e formatos para qualquer relatório regular.

– **Estabeleça relacionamentos de trabalho claros.** Defina claramente como você quer trabalhar e informe à sua equipe. Os funcionários precisam saber como mantê-lo informado e como você espera que eles trabalhem com outras pessoas (de dentro e de fora da equipe).

– **Descubra o que funciona.** Ao estabelecer seu relacionamento de trabalho com a equipe, sobretudo se nunca tiver ocupado um cargo semelhante, você deve informar a ela que as normas se desenvolverão ao longo do tempo, à medida que todos se acostumarem a trabalhar em grupo.

– **Assuma o controle quando necessário.** Apesar de querer evitar se tornar autoritário ou controlador em relação à sua equipe ou estabelecer regras demais, você também deve estar disposto a confrontar um desempenho ou comportamento ruim e a saber que os funcionários o levarão a sério quando o fizer. Negocie um meio-termo eficaz entre a condescendência e a dureza exageradas.

– **Dê instruções claras.** Saber delegar significa ser claro e firme quanto ao que você quer – mais especificamente, o que você quer, de quem e até quando. Também é importante acompanhar isso pessoalmente, seja por meio do sistema de lembretes do computador ou de uma boa e velha lista de tarefas.

Abrir mão do passado enquanto orienta os outros é uma competência que requer um equilíbrio delicado e que melhora com o tempo. Com um bom planejamento e acompanhamento consistente, você pode dar conta de tudo e assegurar um futuro de sucesso para si mesmo e para sua equipe.

VERDADE 58

A grama do vizinho nem sempre é mais verde

Quando a economia se aquece ou seu entusiasmo pelo trabalho esfria, você pode começar a notar empregos mais atraentes em outros lugares. Talvez você seja tentado pela perspectiva de um salário melhor, de ótimos benefícios ou de uma nova cultura organizacional. Foi exatamente o que as pessoas pensaram quando migraram para as empresas pontocom durante o boom da internet. No entanto, como várias delas descobriram, algumas das novas e atraentes opções podem acabar se revelando meras ilusões.

Olhar bem antes de dar um passo é o lema para qualquer um que pense em mudar de emprego. Não se trata apenas de olhar, mas de *olhar bem*! Antes de qualquer coisa, você precisa ter certeza de que esse é o emprego certo para você e de que o está escolhendo pelas razões corretas. Você pode ver o que os outros fazem e pensar que parece um meio fácil de ganhar dinheiro, sem notar todo o esforço que eles precisam fazer. Talvez seja melhor ficar no antigo emprego.

Antes de mudar, você precisa ter certeza de que esse é o emprego certo para você e de que o está escolhendo pelas razões corretas.

Michael é um funcionário público formado em pedagogia. Quando uma escola de ensino médio ofereceu a ele um emprego de professor de história e de educação física, ele ficou nas nuvens. Não somente os trabalhos pareciam fáceis – ele já havia ensinado história antes –, mas o salário também se equiparava ao que ele recebia. Além disso, ele também teria bastante tempo livre no verão. No entanto, quando conversou com seus amigos professores sobre a oferta, eles mencionaram algumas coisas que ele não tinha levado em conta, como as ligações que teria que fazer para lembrar as crianças de comparecerem aos treinos e todos os telefonemas que receberia dos pais querendo saber por que seus filhos não tinham sido escalados para os jogos. Nem tinha calculado o tempo que passaria em cada jogo, incluindo as finais do campeonato. Na realidade, trabalharia muito mais horas do que em seu emprego atual, e seus fins de semana seriam perdidos. Talvez um pouco mais de tempo livre no verão não compensasse tudo aquilo. Michael ficou onde estava.

Então, como descobrir se o novo emprego é o melhor para você?

– **Pesquise.** Apesar de nunca poder saber exatamente o que um novo emprego exigirá até que esteja nele, você precisa tentar ter uma ideia do que acontece nos bastidores. Michael fez a coisa certa quando pediu conselhos aos amigos. Se você não conhecer ninguém, pode tentar fazer contatos para encontrar uma pessoa que saiba alguma coisa sobre o emprego ou que já trabalhe na empresa.

– **Sonde o terreno.** Você pode sondar um emprego que pareça interessante fazendo uma entrevista para a vaga e aproveitando a oportunidade para fazer perguntas. Mas não se esqueça de que durante a entrevista a empresa também estará tentando se vender para você e pode não ser completamente honesta.

– **Conheça suas motivações.** Você precisa ter certeza da razão pela qual quer mudar. Um novo emprego cheio de desafios pode parecer excitante e glamouroso, mas ele não será a melhor opção se o que você realmente quiser da vida for tranquilidade e segurança. Faça uma lista do que quer e precisa em um emprego e veja como seu cargo atual e a vaga para a qual está pensando em se candidatar atendem aos tópicos que você anotou. Pense também no que você não quer e compare a descrição do novo emprego com isso.

– **Avalie o salário e os benefícios.** Não se maravilhe apenas com o salário. O que realmente compensa em um emprego é o pacote oferecido, o que pode incluir bônus, benefícios, treinamento e desenvolvimento, opções de previdência privada, planejamento financeiro e outros atrativos além do contracheque. E isso contando apenas os tangíveis. Os intangíveis incluem o apoio de seu novo chefe e as chances de crescimento na empresa.

Apesar de não ser aconselhável mergulhar de cabeça em um novo emprego sem antes pensar bastante, com certeza vale a pena ficar de olho em novas oportunidades. É difícil saber o que pode acontecer e se faz sentido mudar, a menos que você tenha algum parâmetro de comparação. Então, quando souber que tem uma boa razão para dar esse passo, já terá planos bem elaborados em mente.

VERDADE 59

Sua carreira pode sair dos trilhos a qualquer momento

Você acaba de ser promovido, tem todo o apoio de seu chefe, são até amigos. Tudo parece ótimo! Mas não relaxe ainda. Pode haver um campo minado ao longo desse caminho maravilhoso.

Por mais bem-sucedido que você seja, em tese todos enfrentam contratempos na carreira. A ironia é que eles costumam acontecer quando o fracasso parece mais improvável, de modo que você não está preparado para ele. Após uma longa série de bons resultados, quando você estiver satisfeito com suas realizações e for respeitado pelos outros, ou depois de uma grande promoção, quando sua capacidade tiver sido recentemente reconhecida e recompensada, não demora muito para que o conforto se transforme em complacência.

Após uma longa série de bons resultados, não demora muito para que o conforto se transforme em complacência.

No caso de uma promoção, o período de transição poderá trazer mais problemas do que alegrias se você não tomar cuidado. As situações familiares acabam e você tem que se adaptar a algo novo. Improvisar e confiar em sua memória para o acompanhamento de processos pode ter funcionado em um cargo menos importante, mas agora que você está numa posição mais elevada, talvez precise desenvolver hábitos de trabalho melhores para lidar com as responsabilidades. Cuidado também com a embriaguez do poder que seu novo cargo traz. Ele pode lhe subir à cabeça e você pode começar a acreditar que não comete erros. Antes de ter consciência disso, as coisas podem mudar, você pode se enganar e ser colocado de lado em algum cargo de "especialista" ou, pior, demitido.

O Centro de Liderança Criativa usa o termo "fatores de descarrilamento" para descrever os campos minados que aparecem no caminho de executivos bem-sucedidos em seus cargos anteriores. Sua pesquisa mostrou que, nos Estados Unidos e na Europa, há três razões principais para que isso aconteça:

– **Relacionamentos profissionais insatisfatórios.** Incapacidade de criar uma rede de relacionamentos de modo eficaz ou de chegar a um consenso com os principais acionistas, ou ainda conflitos constantes ou problemas de comunicação com os colegas.

– **Incapacidade de se desenvolver ou de se adaptar.** Problemas em dominar as práticas e os procedimentos de um novo cargo ou ambiente de trabalho.

– **Isolamento organizacional.** A criação de barreiras em torno de seu departamento, isolando-o do resto da empresa e de influências externas.

Malcolm, um excelente vendedor, enfrentou os três problemas. Depois de um maravilhoso desempenho, ao recuperar uma pequena equipe, ele foi promovido a codiretor de vendas e marketing, liderando 220 pessoas em quatro escritórios. O outro codiretor tinha ótimas ideias de marketing, mas não era muito bom em vendas, de modo que os dois formavam uma boa parceria – pelo menos em tese. Malcolm começou a visitar todos os escritórios de vendas imediatamente, tentando estimular a equipe, do mesmo modo como tinha feito antes com seu pequeno grupo. Ele não parou para pensar sobre o que significava a promoção, para ver as coisas de um ângulo mais amplo nem para definir estratégias. Dividindo-se por vários lugares, ele começou a ficar sobrecarregado, a esquecer detalhes e a perder compromissos. As pessoas tentaram intervir, mas Malcolm colocou-se na defensiva em relação a seu território e começou a criar conflitos públicos com seu codiretor.

Enquanto Malcolm pisava em uma mina após outra, seu antigo chefe começou a lhe dar conselhos, mas ele não prestou atenção e pensou que, se mantivesse os números em alta, tudo ficaria bem. Então, depois de apenas três meses, a diretoria disse que estava pensando em substituí-lo e lhe deu o prazo de três meses para virar o jogo. Malcolm subitamente abriu os olhos para o caos à sua volta.

Investiu em um coach, que conversou longamente com todos os que se relacionavam com Malcolm na empresa e então trabalhou com ele para mudar seu modo de agir.

Não cometa o mesmo erro. Quando as coisas estiverem quentes, pode ser difícil perceber que está saindo dos trilhos. Mas, mesmo que você não note, pode ter certeza de que os outros o farão. Leve todo e qualquer feedback a sério. Quando observar que as coisas estão desequilibradas, tome providências urgentes para pedir a colegas confiáveis mais detalhes e conselhos sobre o que não está funcionando. Então faça tudo que puder para voltar aos trilhos.

VERDADE 60

Quando você não tiver mais espaço, está na hora de se mudar

Quando sua família fica grande demais para a sua casa, o que você faz? Se muda. Da mesma forma, quando sua capacidade crescer e ultrapassar os limites de seu cargo atual, está na hora de considerar uma mudança. É difícil continuar motivado em um cargo que já não lhe oferece mais desafios. Ser promovido ou mesmo sair da empresa pode lhe dar uma nova "escritura" em sua vida profissional.

O momento ideal para pensar em uma mudança é *antes* de ficar entediado e de sentir que dominou completamente suas funções. O domínio total é para os especialistas, não para os que querem seguir adiante. As pessoas ambiciosas precisam continuamente de novos desafios. Se seu "conhecimento profissional" estiver perto de zero quando você começar, o momento ideal para buscar outra oportunidade é quando ele estiver em torno de 70%.

O momento ideal para pensar em uma mudança é antes de ficar entediado e de sentir que dominou completamente suas funções.

Essa é uma situação na qual, se você não pedir, não conseguirá nada. Antes de olhar para outros lugares, fale sobre suas aspirações dentro da empresa. Se eles não quiserem perder você, poderão encontrar um novo cargo, mesmo que oficialmente não haja nenhuma posição em aberto. Seja específico em seus pedidos e dê algum tempo a eles. Esse tipo de coisa pode requerer algumas manobras. No entanto, às vezes fica claro que a única maneira de conseguir o próximo cargo é assumir o lugar de seu chefe, e ele não está dando sinais de que vai sair dele. Se for esse o caso, como avaliar suas opções?

Tomemos o caso de José, que trabalhava para uma grande empresa americana no México e viajava regularmente para fazer o controle de qualidade no mundo inteiro. José era ambicioso e sabia que tinha muito a oferecer. Ele tinha começado por baixo, na fábrica, e progredido graças a um diploma em Gestão de Cadeia de Suprimentos. Então, quando seu antigo chefe visitou o México, José aproveitou a oportunidade para conversar sobre sua carreira. No entanto, quando ele expressou suas ambições, o mentor sorriu com tristeza e disse: "Você realmente acha que com três colegas americanos na empresa você tem alguma chance de assumir o lugar de seu chefe? E, se não for assim, sabe que não há muitas oportunidades para você na empresa."

Aos 32 anos, José percebeu que poderia continuar fazendo o mesmo serviço por muito tempo. Em vez de ficar frustrado, parou para repensar sua carreira, dando os seguintes passos, que qualquer um em sua situação daria:

- Primeiro, fez um inventário de seus "desejos, necessidades e aversões", definindo o que queria em um emprego, as coisas de que não poderia abrir mão e o que queria evitar. José descobriu que queria continuar fazendo algo interessante na área de manufatura, mas que precisava de independência e de tempo com a família. Ele também não queria mais viajar tanto para fora do país.
- Em seguida, explorou as opções que lhe dariam o que ele "precisava", descobriu alguns dos seus "desejos" e evitou as "aversões", procurando encontrar outra coisa qualquer dentro da empresa e depois começando a olhar para outros lados. Seu conselheiro profissional lhe deu algumas orientações úteis, e José decidiu que a opção mais promissora seria abrir seu próprio negócio.
- Finalmente, ele pesquisou tudo o que era necessário para abrir sua empresa, verificando o que teria que aprender e avaliando as vantagens e desvantagens antes de tomar qualquer decisão relacionada a seu pedido de demissão.

Fazer um exercício de inventário é um modo comprovadamente útil de concentrar seus pensamentos. Siga o exemplo de José sempre que se sentir estagnado. Quer você finalmente decida ficar onde está ou se mudar para um emprego novo, se fizer uma "verificação de sua realidade" se manterá no caminho certo para o sucesso profissional.

Agradecimentos

Eu gostaria de agradecer a algumas pessoas pelo apoio e pela contribuição dados a este livro. FT Pearson/Prentice Hall: Tim Moore, Paula Sinnott, Russ Hall e Lori Lyons. Aos colegas e amigos: Pat Di Franco, Lois Frankel, Jean Horstman, Michael Neill, Colleen O Brien. A meu marido, com quem aprendi tanto. E à minha orientadora, Daisy Froud.

Sobre a autora

Dra. Karen L. Otazo atua em todo o mundo como consultora de negócios e orientadora de empresas multinacionais. Com mais de 25 anos de experiência profissional com clientes nos Estados Unidos, China, Índia, Indonésia, Hong Kong, Reino Unido, Europa e Cingapura, ela possui uma capacitação única para atender a executivos de empresas globais, joint ventures e alianças estratégicas. Entre seus principais clientes estão empresas de diversas áreas, como bancos de investimentos, consultorias, ONGs e conglomerados no mundo inteiro. Ela participa da Society for Organizational Learning, foi diretora da Boston University Roundtable e pertence ao comitê consultor do Business Arts Forum of the London International Festival of Theatre.

Leituras adicionais

Parte I: A verdade sobre começar em um novo emprego

1. Um bom texto que mostra a perspectiva da liderança é: Gabarro, John J. *The Dynamics of Taking Charge.* Harvard Business School Press, 1987. A obra examina casos verdadeiros de gerentes gerais assumindo novos cargos e os fatores que influenciaram seu sucesso ou fracasso.

2. Sobre começar com a corda toda, o melhor livro é: Watkins, Michael. *Os primeiros 90 dias.* Rio Grande do Sul: Bookman, 2006. Ver também: Watkins, Michael e Ciampa, Dan. *Right from the Start: Taking Charge in a New Leadership Role.* Harvard Business School Press, 1999. Essa obra também oferece conselhos úteis sobre como entrar em uma nova empresa e fazer diferença; o livro é enriquecido por entrevistas e estudos de casos.

3. Covey, Stephen R. *Os sete hábitos das pessoas altamente eficazes.* Best Seller, 2005. No capítulo 5 desse livro, há bons insights sobre a necessidade de, quando se assume um novo cargo, ficar calado para aprender.

4. Holton, Ed et al. *So You're New Again: How to Suceed When You Change Jobs*, Berret Koehler Publishers, Inc., 2001. Um guia útil sobre como compreender e se adaptar a novos ambientes e culturas corporativas, em vez de tentar impor o jeito como fazia em seu antigo emprego.

5. Com uma visão que ultrapassa apenas o escritório ou a empresa, o clássico *The Territorial Imperative: A Personal Inquiry into the Animal Origins of Property and Nations* (Robert Ardrey, Dell Pub Co, 1966) revela os fundamentos sobre por que todos nós gostamos de ter nosso próprio espaço. Não se esqueça de que território é algo importante para todos os animais, inclusive os humanos.

6. Em *The Third Opinion: How Successful Leaders Use Outside Insight to Create Superior Results* (Portfolio Hardcover, 2004), Saj-Nicole Joni oferece uma perspectiva única sobre a utilidade do networking, de se estabelecer relações confiáveis e de usar consultores externos à empresa. Além disso, é um dos poucos livros que realmente falam sobre em quem se deve confiar,

e não em como fazer os outros confiarem em você. O artigo de Joni "The Geography of Trust" (Harvard Business Review, de março de 2004, pp. 82-88) também é revelador. Além destes, *Trust Matters: For Organizational and Personal Success*, de Sally Bibb e Jeremy Kourdi (Palgrave Macmillan, 2004) resume de forma sucinta o papel da confiança e mostra como construí-la nos relacionamentos de negócios. *The Trusted Leader*, de Robert M. Galford e Anne Seibold Drapeau (Free Press, 2003) entra em mais detalhes sobre outros tipos de confiança, que vão de pessoal a organizacional.

Parte II: A verdade sobre como lidar com chefes

7. Não posso recomendar nada substancial sobre o tema "respeite seu chefe". No entanto, se você quiser encarar a questão de uma perspectiva diferente e gostar de leituras divertidas, tente *Managing Up: How to Forge an Effective Relationship with Those Above You*, de Rosanne Badowski e Roger Gittines (Currency, 2003). A ex-assistente de produção de Jack Welsh, Badowski, argumenta que todos nós somos de alguma forma os secretários de nossos chefes: nossa tarefa é assumir suas agendas e tornar a vida deles mais fácil. Em retorno, conseguimos influenciar essas mesmas agendas.

8. O livro *Lion Taming: Working Successfully with Leaders, Bosses, and other Tough Customers*, de Steven L. Katz (Sourcebooks, 2004), escrito por um antigo consultor de quatro senadores americanos, oferece uma abordagem interessante a respeito da influência que os chefes têm sobre sua própria reputação. Definindo os líderes como leões, Katz oferece dicas sobre como administrar e manobrar esses personagens em um relacionamento profissional com seu chefe, o que resulta no máximo benefício para você. Já *How to Manage your Boss: Or Colleagues, or Anybody Else You Need to Develop a Good and Profitable Relationship With*, de Ros Jay (Prentice Hall, 2002), tem uma abordagem mais cotidiana do tipo de relação profissional com seu chefe que traz os maiores benefícios para você.

9. *Don't Kill the Bosses!: Escaping the Hierarchy Trap*, de Samuel A. Culbert e John B. Ullmen (Berret-Koehler, 2001), revela muito sobre a hierarquia no trabalho, pintando um quadro claro de suas diferentes formas de funcionamento, sugerindo abordagens que melhorem seu relacionamento com todos os colegas, e não apenas com seus chefes.

10. Há diversos livros que falam sobre chefes desagradáveis ou insatisfatórios. Dois interessantes são *Coping with Toxic Managers, Subordinates... And Other Difficult People: Using Emotional Intelligence to Survive and Prosper*, de Roy H. Lubit (Financial Times Prentice Hall, 2003), que analisa o comportamento de cinco tipos distintos de gerentes difíceis e fala sobre como se deve reagir a eles, e *Managing Conflict with Your Boss*, de Davida Sharpe e Elinor Johnson (CCL, Press, 2002), com passos úteis para levar seu relacionamento com seu chefe em uma direção mais produtiva.

Parte III: A verdade sobre como trabalhar com outras pessoas

11. O campo da inteligência emocional (IE) oferece insights úteis sobre os desafios que se enfrenta ao se trabalhar com outras pessoas. Um texto importante sobre questões de uma perspectiva organizacional é *Inteligência emocional no trabalho*, de Hendrie Weisinger (Objetiva, 1997), que mostra como desenvolver sua inteligência emocional para melhorar a autoconsciência e a comunicação com os outros. Os conselhos de Weisinger se fundamentam na experiência pessoal e em pesquisas consistentes.

12. A teoria da análise transacional – um tipo de psicoterapia com base na compreensão das interações entre nós e os outros – ajuda a pensar na boa vontade no trabalho. E nada melhor do que começar com o homem que criou esse termo: *Os jogos da vida*, de Eric Berne (Nobel, 1995) é um dos mais influentes e populares livros de psicologia já publicados e mostra como bons relacionamentos se fundamentam em interações positivas. Além dele, há *The Relationship Edge in Business: Connecting with Customers and Colleagues When it Counts*, de Jerry Acuff e Wally Wood (John Wiley and Sons, 2004), que oferece um grande exemplo de como você pode ganhar créditos no trabalho adiantadamente, por meio da forma como aborda e trata os outros, à medida que demonstra boa vontade para com eles.

13. A diversidade é um assunto importantíssimo na vida corporativa, e há uma grande variedade de textos sobre ele. Os melhores incluem *Diversity Work*, de Lenora Billings-Harris (OakHill Press, 1998), que oferece uma introdução simples e eficaz ao assunto por meio de capítulos fundamentados em perguntas sobre temas-chave para a força de trabalho americana. Há também *Harvard Business Review on Managing Diversity* (Harvard Business School Press, 2002), uma coleção de artigos consistentes abordando a diversidade de pontos de vista diferentes, e *The Inclusion Breakthrough*, de

Frederick A. Miller, et al. (Berrett-Koehler Publishers, 2002). Esse último livro amplia os limites da questão da diversidade, analisando mais do que a composição da força de trabalho, ao considerar a atitude da totalidade da cultura organizacional, que caminha para a diversidade, e mostra como a crença nela pode levar a resultados melhores para todos. Finalmente, se você quiser algo muito prático relacionado ao trabalho com pessoas de origens culturais diversas, tente *Intercultural Business Communication*, de Lillian H. Chaney e Jeanette S. Martin (Prentice Hall, 2003). As questões relacionadas à diversidade e à inclusão nos Estados Unidos não são necessariamente as mesmas em todos os lugares.

14. Para aqueles comprometidos em se tornarem melhores ouvintes, *Listening: The Forgotten Skill: A Self-Teaching Guide*, de Madelyn Burley-Allen (Wiley Self-Teaching Guides, 1995) é um programa clássico e prático altamente recomendado para aperfeiçoar sua capacidade de ouvir ativamente. Caso você esteja interessado em aprender mais sobre as diferentes maneiras pelas quais as pessoas ouvem ou deixam de ouvir umas às outras e as implicações desse fato nos relacionamentos, especialmente entre homens e mulheres, tente *You Just Don't Understand*, de Deborah Tannen (Ballantine Books, 1991). Se quiser pensar sobre como melhorar a capacidade de ouvir em geral em sua empresa, sugiro *Time to Think: Listening to Ignite the Human Mind*, de Nancy Kline (Cassell Illustrated, 1998), que mostra como aplicar o poder da escuta eficaz, gerando um ambiente de trabalho mais aberto e inovador.

15. Quando se trata de se livrar das críticas, *How to Disagree Without Being Disagreeable: Getting your Point Across with the Gentle Art of Verbal Self-Defense* (Wiley, 1997) e *The Gentle Art of Verbal Self-Defense at Work* (Prentice Hall Press, 2000), ambos de Suzette Haden Elgin, são guias clássicos para ajudar a amenizar discussões e brigas. O livro mais recente leva você a um passeio por diferentes confrontos no local de trabalho e ensina a lidar com eles; é mais relevante para os executivos, e explica o que irrita os outros. Menos diretamente relevante para o trabalho, mas o avô de todos os livros sobre discussões, é *Conversas difíceis*, de Douglas Stone et al. (Alegro, 2004). Essa coisa de "sentimentos" pode fazer você se dar mal no trabalho, mas efetivamente mostra como não deixar os outros magoados enquanto você domina a conversa. Há, quanto a isso, o clássico *Como fazer amigos e influenciar pessoas*, de Dale Carnegie (Companhia Editora Nacional, 1939).

16. Não há nada específico sobre chegar pontualmente às reuniões. Apenas faça isso! Se precisar de lembretes, peça ajuda a alguém, e isso é tudo. No entanto, para conselhos sobre como se assegurar de que sua própria reunião comece e termine prontamente e não atrapalhe a agenda de outras pessoas, sugiro *First Aid for Meetings: Quick Fixes and Major Repairs for Running Effective Meetings*, de Charlie Hawkins (Bookpartners, 1997). O clássico *Reuniões podem funcionar*, de Michael Doyle (Summus, 1978), é um livro básico muito bom, que mostra os fatores que podem ou não tornar uma reunião produtiva.

17. Procurei arduamente algum livro sobre confidencialidade no trabalho que ultrapasse a administração prática da informação/conhecimento ou o conselho jurídico, mas não consegui encontrar nenhum. Há muita coisa sobre como estimular o bom fluxo das informações e ampliar a movimentação do conhecimento em toda a organização, mas pouco sobre como restringi-lo ou sobre a necessidade de se estar consciente dos problemas que a falta de restrição pode causar. No entanto, se você estiver interessado nos processos pelos quais as informações fluem pelas organizações e o lado positivo desse fluxo, um dos livros mais interessantes é *The Hidden Power of Social Networks: Understanding How Work Really Gets Done in Organizations*, de Rob Cross et al. (Harvard Business School Press, 2004). Ele oferece orientações sobre como obter as informações desejadas por meio da colaboração com outras pessoas.

Parte IV: A verdade sobre o networking

18. Um livro importante, que leva você a pensar sobre o papel do criador de redes de contatos na vida organizacional, bom também para se pensar no networking em geral, é *O ponto da virada*, de Malcolm Gladwell (Sextante, 2009). Gladwell ilustra, entre outras coisas, o poder do "conector" em gerar um ponto de virada: o momento em que algo único ou extraordinário se torna comum e popular. Napier Collyns, que cito na verdade 17, é um desses conectores.

19. Se você for um pouco introvertido ou estiver apenas começando a criar seu networking, há bons livros para ajudá-lo com o básico sobre como iniciar e manter uma conversa, como, por exemplo: *How to Work a Room: The Ultimate guide to Savvy Socializing in Person and Online*, de Susan RoAne (HarperResource, 2000). Outro guia geral, mas popular para a arte maior da criação de redes de contato é *Nonstop Networking: How to Improve Your Life, Luck, and Ca-*

reer, de Andrea R. Nierenberg (Capital Books, 2002). Para conselhos específicos e úteis sobre a criação de uma rápida apresentação e uma conversa de 30 segundos nos elevadores, tente *People Power: How to Create a Lifetime Network for Business, Career, and Personal Advancement*, de Donna Fisher (Bard Press, 1995).

20. Se você estiver interessado em pensar sobre a questão de como fazer pesquisas de opinião ou pedi-las no trabalho a partir de um ponto de vista bem amplo, recomento *A sabedoria das multidões*, de James Surowiecki (Record, 2006), que oferece uma boa orientação sobre a importância de se pesquisar a opinião de populações e pessoas variadas. Também há alguns livros interessantes sobre consenso e colaboração no mercado. Eles são úteis como um meio de colocar sua habilidade em colher opiniões a seu favor. Sugiro *How to Make Collaboration Work: Powerful Ways to Build Consensus, Solve Problems, and Make Decisions*, de David Straus e Thomas C. Layton (Berrett-Koehler, 2002), com seus cinco princípios testados de colaboração.

21. Para um bom fundamento sobre Stanley Milgram e sua obra, veja *The Man Who Shocked the World: The Life and Legacy of Stanley Milgram*, Thomas Blass (Basic Books, 2004), uma biografia abrangente de Milgram, que conta em detalhes suas experiências. Se você for um criador de redes iniciante e quiser saber mais um pouco sobre como essa teoria pode lhe ser útil, tente *Networking: Desenvolva sua carreira criando bons relacionamentos*, de Diane Darling (Sextante, 2007). No entanto, esse livro é muito básico e não se destina a alguém que já tenha uma rede de contatos importante ou que tenha facilidade em criá-la.

22. Ao pensar sobre como descobrir e gerar identidade para fins de criação de redes de contato, acho útil *Cave um poço antes de sentir sede*, de Harvey Mackay (Record, 1999), que mostra como tirar o máximo proveito de todos os relacionamentos que você já tem e oferece dicas sobre como fazer pesquisas prévias sobre as pessoas com as quais você deseja estabelecer um vínculo.

23. *The Pocket Guide to Making Successful Small Talk: How to Talk to Anyone Anytime Anywhere About Anything*, de Bernardo J. Carducci (Pocket Guide Company, 1999), é uma boa referência sobre conversas sociais. Sua mensagem principal é que a conversa social é uma habilidade adquirida; o livro define suas regras de ouro e oferece conselhos para situações específicas. O mesmo autor aborda o assunto de forma diferente em *Timidez* (Alegro,

2001). Não objetivando apenas o tímido, o livro afirma que a maioria de nós sofre de alguma forma de timidez em algum momento de nossas vidas e oferece técnicas diversas para lidar com situações específicas ao ambiente de trabalho.

Parte V: A verdade sobre como fazer as coisas acontecerem

24. Há vários livros sobre como fechar uma venda. No entanto, a maioria deles se direciona a vendedores reais, em vez de oferecer conselhos sobre a venda de ideias, opiniões e projetos para profissionais de todos os tipos. Uma exceção é *Why Don't You Want What I Want? How to Winn Support for Your Ideas Without Hard Sell, Manipulation, or Power Plays*, de Rick Maurer (Bard Press, 2002), que leva você pelos seis princípios de envolvimento para chegar a resultados desejados, sem pisar em cima das opiniões dos outros. Um livro sobre vendas mais clássico, mas ainda assim útil, é *Selling to Win: Tested Techniques for Closing the Sale*, de Richard Denny (Kogan Page, 1988). Esse best-seller enfatiza que a venda bem-sucedida é realizada por meio da construção de relacionamentos de longo prazo, e não por insistência rápida e rude.

25. Quando se trata de comunicar o ponto principal com eficiência, nada supera *The Pyramid Principle: Logic in Writing and Thinking*, de Barbara Minto (Pitman Publishing, 1995). Esse livro mostra como estruturar uma comunicação clara e organizada para realmente comunicar sua mensagem e ajudar as pessoas a avançarem em direção a metas compartilhadas. É a base para o trabalho da maioria das organizações de consultoria e programas de MBA. Um ótimo livro, mas de difícil leitura. Abordando a comunicação clara de outra perspectiva – como lidar com a complexidade em seu exterior, em oposição à de sua mente – tente *Clear Leadership: How Outstanding Leaders Make Themselves Understood, Cut Through the Mush, and Help Everyone Get Real at Work*, de Gervase Bushe (Davis-Black Publishing, 2001). Esse livro fornece conselhos não apenas sobre como se comunicar com clareza, mas também sobre como ajudar os outros a terem confiança em suas próprias opiniões e capacidade de comunicação.

26. Recuperar-se das adversidades não é fácil e depende mais da força e experiência pessoal do que de seguir as dicas de um livro. No entanto, *Resilience at Work: How to Succeed No Matter What Life Thorws at You*, de Salvatore Maddi e Deborah M. Koshaba (American Management Associa-

tion, 2005), oferece técnicas para lidar com as dificuldades no trabalho: compromisso, controle e desafio. Para uma abordagem mais direta e bem-humorada sobre o assunto, recomendo *Buck Up, Suck Up... and Come Back When You Foul Up: 12 Winning Secrets from the War Room*, de James Carville e Paul Bengala (Simons & Schuster, 2003). Dois consultores políticos de ponta aplicam as lições da política ao mundo dos negócios. É franco e real, mas você pode achar algumas de suas convicções políticas um pouco fortes, já que os autores são bem diretos em relação à política deles!

27. Se você estiver procurando maneiras de recompensar e reconhecer os méritos de sua equipe, pode encontrar textos que oferecem inspiração sobre a motivação de equipes. *Make Their Day! Employee Recognition That Works*, de Cindy Ventrice (Berrett-Koehler, 2003), enfatiza a boa relação profissional como a chave para o reconhecimento de equipe eficaz, enquanto *Motivating Employees*, de Anne Bruce e James S. Pepitone (McGraw-Hill, 1998), oferece estudos de caso sobre como diferentes organizações abordaram a questão do estímulo e da recompensa a equipes.

Parte VI: A verdade sobre como administrar sua carga de trabalho

28. Alguns dos muitos livros sobre administração do tempo que se encontram no mercado podem ser úteis na questão da priorização. Muitos acharam útil o livro *Making Work Work: New Strategies for Surviving and Thriving at the Office*, de Julie Morgenstern (Fireside, 2004), com seus quatro princípios (exclua, adie, delegue e diminua). Também recomendo *O estilo 80/20*, de Richard Koch (Sextante, 2009). Koch ajuda o leitor a descobrir que 20% de atividades trarão os melhores resultados, enfatizando o princípio de se ter foco.

29. *Quando digo não, me sinto culpado*, de Manuel J. Smith (A Train Pr, 2000) é o clássico sobre segurança e, como diz o título, ajuda os líderes de equipe a adquirirem autoconfiança e oferece estratégias para você dizer não no trabalho e para comunicar suas necessidades. Também útil, apesar de não abordar essa questão de uma perspectiva profissional, é *The Disease to Please*, de Harriet Braiker (McGraw-Hill, 2002). Esse livro oferece uma série de princípios e um Plano de Ação de 21 dias para ajudar o leitor a reduzir a compulsão por concordar sem pensar nas consequências pessoais e profissionais.

30. O estabelecimento de limites claros no trabalho por um membro da equipe e não pelo líder é outro tópico sobre o qual é difícil encontrar algum texto realmente útil. No entanto, *Teamwork Is an Individual Skill: Getting Your Work Done When Sharing Responsibility*, de Christopher M. Avery et al. (Berrett-Koehler, 2001), enquanto se concentra no cumprimento de suas próprias responsabilidades como membro da equipe, enfatiza que parte delas é puxar os outros para cima quando eles não sobem sozinhos ou quando não respeitam regras fundamentais, com conselhos práticos sobre como lidar com isso. *Conquering Chaos at Work: Strategies for Managing Disorganization and the People Who Cause It*, de Harriet Schechter (Fireside, 2000), oferece uma abordagem bem-humorada sobre como acabar com os limites indefinidos e a negligência dos outros no trabalho que prejudiquem suas próprias conquistas.

31. Quais são os bons livros práticos que ajudam você a manter em ordem papéis, arquivos e relatórios? Esse é outro tópico sobre o qual há muita coisa disponível, mas nem tudo oferece conselhos realmente úteis e aplicáveis ao local de trabalho. Uma exceção recente que muitas pessoas achara útil é *Taming the Paper Tiger at Work*, de Barbara Hemphill (Kiplinger Books, 2002), que reconhece que, apesar dos novos meios de comunicação, nós ainda temos que lidar com a mesma quantidade de papel de sempre.

32. Os guias de gerência de projetos muitas vezes contêm conselhos úteis sobre como definir, administrar e cumprir com prazos dentro da complexidade da vida organizacional. *Managing Multiple Projects*, de Michael Tobis e Irene Tobis (McGraw-Hill, 2002), enfatiza a confiabilidade como uma das qualidades mais importantes que você pode oferecer à organização. O livro ajuda o leitor a desenvolver um sistema confiável para administrar sua carga de trabalho, equilibrando tempo e qualidade. Mais básico e funcional e, no entanto, útil para os que estão começando, é *Getting a Project Done on Time: Managing People, Time, and Results*, de Paul Williams (American Management Association, 1996). Ele mostra como administrar e trabalhar com os outros para que os projetos sempre sejam entregues no prazo.

Parte VII: A verdade sobre saber se comunicar

33. McLuhan é o avô do conceito de que o meio é a mensagem. Duas boas introduções à sua obra são *The Medium is the Message*, de Marshall McLuhan e Quentin Fiore (Gingko Press, 2005), que efetivamente condensa suas

ideias em um projeto gráfico inovador, e *Essential McLuhan*, de Eric McLuhan e Frank Zingrone (orgs.) (Basic Books, 1996), uma coleção de seus artigos e textos mais importantes. Sobre como desenvolver uma maior compreensão das preferências de comunicação, você encontrará o campo da PNL (programação neurolinguística), que dará a você uma perspectiva sobre como se relacionar e compreender as outras pessoas e o ajudará a aperfeiçoar sua capacidade de comunicação. Uma boa introdução geral é *Introducing Neuro-Linguistic Programming: Psychological Skills for Understanding and Influencing People*, de Joseph O'Connor e John Seymour (Thorsons Publishers, 1993). Para entendermos de modo mais profundo e útil como o cérebro funciona para influenciar a comunicação, devemos consultar *The Art of the Possible: A Compassionate Approach to Understanding the Way People Think, Learn and Communicate*, de Dawna Markova (Conari Press, 1991). Esse livro demonstra como identificar seus próprios métodos de processamento de informações, bem como os de outras pessoas com as quais você se comunica.

34. Os livros sobre habilidades de apresentação são a melhor fonte de conselhos sobre apresentações eficazes e conclusões em comunicação profissional. Um ótimo exemplo é *Apresentar para vencer*, de Jerry Weissman (Alta Books, 2009). Ele mostra como capturar sua audiência e mantê-la ligada em você, contando uma história que o ouvinte deseja acompanhar. Veja também *Knockout Presentations: How to Deliver Your Message With Power, Punch, and Pizzazz*, de Diane Diresta (Chandler House Press, 1998), que ensina todos os aspectos ligados a uma apresentação eficaz, com uma seção muito útil sobre como responder a perguntas difíceis. Finalmente, um clássico é *Moving Mountains: Or, the Art and Craft of Letting Others See Things Your Way*, de Henry M. Boettinger (Collier Books, 1974). O conselho sobre os componentes de uma boa apresentação ainda é válido 30 anos depois de sua primeira publicação.

35. O professor de linguística George Lakoff é uma autoridade na arte de enquadrar sua mensagem para que ela obtenha a resposta desejada. Ele não escreve sobre questões profissionais, mas o livro *Don't Think of an Elephant: Know Your Values and Frame the Debate – The Essential Guide for Progressives*, de George Lakoff (Chelsea Green Publishing Company, 2004), é uma visão fascinante do modo como a Esquerda e a Direita americana posicionam seus argumentos. Esse livro realmente leva você a pensar sobre como enquadrar seu trabalho. O clássico *Metaphors We Live By*, de George Lakoff e

Mark Johnson (University of Chicago Press, 2003), oferece uma perspectiva diferente sobre como a escolha da linguagem afeta o modo como as pessoas reagem a você. Há também uma série de bons livros com conselhos usando histórias para ajudá-lo a comunicar suas ideias e a fazer as pessoas concordarem com você. Gosto de *The Story Factor: Inspiration, Influence, and Persuasion Through the Art of Storytelling*, de Annette Simmons (Perseus Books, 2002), e de *The Power of the Tale: Using Narratives for Organisational Success*, de Julie Allan, Gerard Fairtlough e Barbara Heinzen (John Wiley and Sons, 2002), que inclui um capítulo sobre como usar histórias como cenário para ajudar os executivos a imaginarem seu futuro.

36. Quando se trata de lidar com questões difíceis, gosto da abordagem de Jerry Weissman, em *In the Line of Fire: How to Handle Tough Questions... When it Counts* (Prentice Hall, 2005). Altamente recomendado, este texto mostra como lidar com cada aspecto de uma conversa hostil ou dura, com conselhos concretos e técnicas sobre como tratar as várias questões que podem surgir em seu caminho.

37. Não há muita coisa especificamente sobre como causar uma boa impressão nas reuniões, mas há diversos livros sobre como tornar uma reunião eficaz, e você pode usar várias dicas para alcançar seu objetivo. *Reuniões podem funcionar*, de Michael Doyle (Summus, 1978), é um clássico sobre como obter o máximo de uma reunião. Outro livro, com uma abordagem ligeiramente diferente, é *Como apresentar suas ideias em 30 segundos ou menos*, de Milo O. Frank (Record, 2006), que reúne conselhos úteis para quando houver uma dúzia de outras pessoas, todas querendo falar. É um guia passo a passo para construir uma mensagem de 30 segundos sobre qualquer assunto, que também funciona em teleconferências.

38. Os autores e editores reagiram com presteza ao rápido aumento da quantidade de e-mails, e foram publicados muitos livros dando conselhos sobre esse assunto. Se você estiver querendo melhorar suas habilidades com este tipo de correspondência, sugiro *Managing Your E-mail: Thinking Outside the Inbox*, de Christina Cavanagh (John Wiley and Sons, 2003), que se concentra em conselhos para não deixar que o e-mail tome conta de sua vida, e *E-Writing: 21st Century Tools for Effective Communication*, de Dianna Booher (Pocket, 2001), que oferece conselhos sobre como escrever bem em toda comunicação profissional, e não apenas nos e-mails.

39. Quando se considera a influência de sua energia e emoções sobre os outros, a obra de Hendrie Weisinger é inestimável. Em *Inteligência emocional no trabalho* (Objetiva, 1997), ele oferece um compêndio sobre técnicas mentais e corporais para lidar com a adrenalina que pode influenciar negativamente seus colegas. É uma sólida obra de referência com base em suas experiências no controle da própria ira. Hank também escreveu outro clássico, *Anger at Work: Learning the Art of Anger Management on the Job* (Quill, 1996). *Understanding Emotion at Work*, de Stephen Fineman (SAGE Publications, 2003), parece mais uma apostila, mas não é menos abrangente e atraente. Ele analisa várias formas de atuação das emoções no local de trabalho e seu efeito positivo e negativo.

40. Se você estiver interessado em mais conselhos sobre como não se deixar perturbar por pessoas difíceis ou agressivas e sobre como administrar suas reações emocionais, recomendo *Dinosaur Brains: Dealing with All THOSE Impossible People at Work*, de Albert J. Bernstein (Ballantine Books, 1996). É um livro leve, mas completo em sua abordagem dessas questões. Outro livro que desenvolve esse tema é *Blink*, de Malcolm Gladwell (Rocco, 2005), que estimula você a usar seus instintos para sentir quando alguém vai causar problemas. Nós "captamos" muita coisa em nível muito intuitivo. Outro livro útil é *The Bully at Work: What You Can Do to Stop the Hurt and Reclaim Your Dignity on the Job*, de Gary Namie e Ruth Namie (Sourcebooks, 2000).

41. Em *Nice Girls Don't Get the Corner Office: 101 Unconscious Mistakes Women Make That Sabotage Their Careers* (Warner Business Books, 2004), Lois P. Frankel coloca em perspectiva as grandes e pequenas coisas que podem prejudicar sua carreira, incluindo explicações e queixas. Uma leitura fácil mas informativa. Se você achar que sua tendência de fazer uma dessas coisas o está atrapalhando no trabalho, pode achar útil *Radical Collaboration: Five Essential Skills to Overcome Defensiveness and Build Successful Relationships*, de James W. Tamm e Ronald J. Luyet (HarperBusiness, 2004).

42. Um texto clássico e fácil sobre pensamento positivo é *Como fazer amigos e influenciar pessoas*, de Dale Carnegie (Companhia Editora Nacional, 1939). Menos conhecido, mas não menos clássico, é *A Guide to Rational Living*, de Albert Ellis (Wilshire Book Company, 1975). O pai da terapia cognitiva mostra como alterar registros emperrados em sua cabeça e pensar em sua vida de

uma perspectiva mais positiva. Alguns lançamentos recentes incluem *Naked at Work (and Other Fears): How to Stay Sane When Your Job Drives You Crazy*, de Paul Hellman (New American Library, 2002), que sugere novas perspectivas sobre 100 preocupações e ansiedades profissionais, e *Managing Workplace Negativity*, de Gary S. Topchik (American Management Association, 2000), que ajuda você a lidar com sua própria negatividade e com a dos outros.

43. Para mais conselhos sobre como gerar o estado mental relaxado e livre de estresse essencial a um temperamento zen, recomendo leitura de técnicas de eliminação de estresse e relaxamento, para descobrir algumas que funcionem para você. Tente *Manual de relaxamento e redução de stress*, de Martha Davis et al. (Summus, 1996), que oferece uma visão detalhada sobre as diferentes maneiras pelas quais o estresse se manifesta e muitos bons conselhos sobre como reduzi-lo por meios físicos e psicológicos.

Parte IX: A verdade sobre como causar a impressão certa

44. Pode ser difícil decidir quais dos muitos livros atualmente disponíveis sobre o tema "vista-se para o sucesso" são úteis. Os três que recomendo aqui falam sobre vestir-se informal ou casualmente – um estilo frequentemente confuso – bem como sobre como ter uma aparência profissional no trabalho. Sugiro *The New Professional Image: From Business Casual to the Ultimate Power Look*, de Susan Bixler e Nancy Nix-Rice (Adams Media Corporation, 1997), como um guia abrangente para se provocar uma boa impressão; *Casual Power: How to Power Up Your Nonverbal Communication & Dress Down for Success*, de Sherry Maysonaye (Bright Books, 1999), que mostra como se vestir sem perder o respeito dos outros; e *You Are What You Wear – Business and Casual Style in a 'Clicks and Mortar' World*, de William Thourlby (Forbes/Wittenburg e Brown, 1995), com lições sobre "percepção visual", tiradas de Hollywood.

45. Um livro ao qual eu recorro com frequência é *You Are the Message: Secrets of the Master Communicators*, de Roger Ailes (Irwin Professional Pub, 1987), com ênfase nas fortes primeiras impressões provocadas pelo que você diz e por como você o faz. É um livro franco e prático. Do mesmo modo, *The Articulate Executive: Learn to Look, Act, and Sound Like a Leader*, de Granville N. Toogood (McGraw-Hill, 1995), que se concentra em discursos e apresentações, oferece ótimos conselhos sobre cada aspecto de como você deve se apresentar verbalmente aos outros, como autoconfiança e domínio

da situação. Com uma abordagem ligeiramente diferente, há *The Articulate Professional*, de V.J. Singal e Thomas Graham (Sequoia Career Resources, 1993). Especialmente útil àqueles para quem o inglês não é a língua materna, essa ferramenta de referência com palavras e frases de impacto ajudam você a construir um vocabulário que estimule e inspire os outros. Se seu vocabulário não for um problema, mas sua voz não tiver impostação ou volume suficiente, tente *Voice Power: Using Your Voice to Captivate, Persuade, and Command Attention*, de Renee Grant-Williams (American Management Association, 2002). Exercícios físicos e conselhos práticos ajudam você em tudo, desde falar em público a deixar mensagens em secretárias eletrônicas.

46. Para ajuda prática sobre como demonstrar à equipe e aos outros o respeito que merecem, veja *Handle with CARE: Motivating and Retaining Employees*, de Barbara Glanz (McGraw-Hill, 2002), ou *30 Days to a Happy Employee: How a Simple Program of Acknowledgement Can Build Trust and Loyalty at Work*, de Dottie Bruce Gandy (Fireside, 2001). O primeiro, fundamentado em pesquisas com mais de mil funcionários, oferece dúzias de exemplos sobre como mostrar empatia e comunicar respeito por meio de seus atos, enquanto o último oferece um curso sobre como aperfeiçoar relacionamentos por meio do desenvolvimento de um "hábito de reconhecimento".

47. Iniciar em um novo emprego é a principal "porta de entrada" na vida profissional. Você pode encontrar conselhos sobre como um novo grupo de colegas ou equipe pode perceber você durante esses primeiros dias ou semanas vitais em *A primeira impressão é a que fica*, de Ann Demarais e Valerie White (Sextante, 2005). Escrito por dois psicólogos, esse livro ultrapassa as percepções superficiais que você deve considerar sobre como os outros percebem seu caráter e intenções durante as interações iniciais, e mostra como você pode forjar vínculos com eles.

48. Você não encontrará muitas orientações diretas sobre como "marcar" seu espaço de trabalho. No entanto, uma área de trabalho limpa é um passo importante em direção à criação de uma presença que irradie profissionalismo. Muitas pessoas com escritórios desorganizados não desejam obter ajuda, mas às vezes precisam dela. Livros como *The Well-Ordered Office: How to Create an Efficient and Serene Workspace*, de Kathleen Kendall-Tacket (New Harbinger Publications, 2005), analisam as razões fundamentais

pelas quais as pessoas perdem o controle de suas escrivaninhas, e ajuda você a evitar que as coisas fiquem desse jeito.

Parte X: A verdade sobre como ser notado

49. Há diversos capítulos neste livro que abordam as apresentações a partir de pontos de vista diferentes. Recomendo *Never Be Boring Again: Make Your Business Presentations Capture Attention, Inspire Action and Produce Results*, de Douglas Stevenson (Cornelia Press, 2004), que analisa como o uso judicioso de anedotas pode ajudar você a criar apresentações que atraiam o interesse da audiência. *Bulletproof Presentations*, de Michael G. Campbell (Career Press, 2002), oferece um plano de ação detalhado e direto sobre como criar uma apresentação, com igual foco em seu conteúdo, estrutura e forma de apresentação.

50. O conceito de marca é realmente "importante" e muitos escritores e consultores têm tentado aplicar a linguagem e estratégia de produto e construção de marca (*branding*) corporativa a indivíduos. Duas abordagens contrastantes são resumidas por *Brand Yourself: How to Create and Identify for a Brilliant Career*, de David Andrusia e Rick Haskins (Ballantine Books, 2000), e *Be Your Own Brand: A Breakthrough Formula for Standing Out from the Crowd*, de David McNally e Karl Speak (Berret-Koehler Publishers, 2002). Andrusia e Haskins se concentram no indivíduo como um produto, com orientações sobre como se apresentar e que tom dar a si mesmo como o faria com um novo sabonete, enquanto McNally e Speak oferecem uma abordagem mais flexível, estruturando a marca como um relacionamento sincero e honesto com os outros. Acho ambos interessantes. As mulheres, especialmente, devido a fatores culturais, podem achar a ideia de "se venderem" difícil. Recomendo *Make a Name for Yourself: Eight Steps Every Woman Needs to Create a Personal Brand Strategy for Success*, de Robin Fisher Roffer (Broadway, 2002), como um estímulo para qualquer um a quem o marketing pessoal não ocorrer naturalmente.

51. Homens e mulheres de negócios podem aprender muito com os atores quando quiserem causar uma forte impressão. Atores aprendem a usar a postura, o movimento e a voz para projetarem a si mesmos e a seu personagem para públicos de todos os tamanhos. Um livro que aborda esse tema é *Leadership Presence: Dramatic Techniques to Reach Out, Motivate, and Inspire*, de Belle Linda Halpern e Kathy Lubar (Gotham Books, 2003). Outro

bom guia para compreender e aperfeiçoar sua linguagem corporal é *The Secret Language of Success: Using Body Language to Get What you Want*, de David Lewis (BBS Publishing Corporation, 1995), que ensina o leitor a manter uma imagem de sucesso e a dominar a arte da "administração da impressão". Se você estiver interessado nas questões maiores – como a autopercepção pessoal e como as impressões que ela provoca são afetadas por fatores sociais e organizacionais –, recomendo a obra de Richard Sennett. Especialmente, *The Hidden Injuries of Class* (W.W. Norton and Company, 1993) e *Respeito: A formação de caráter em um mundo desigual* (Record, 2004).

52. Para conselhos sobre uma redação que realmente comunique sua mensagem, ver *The Elements of Business Writing: A Guide to Writing Clear, Concise Letters, Memos, Reports, Proposals, and Other Business Documents*, de Garyt Blake e Robert W. Bly (Longman, 1992).

Parte XI: A verdade sobre como ser promovido

53. Se você pensa cuidadosamente sobre sua posição na empresa ou na força de trabalho, *Guia de sobrevivência da cultura corporativa*, de Edgar H. Schein (José Olympio, 2001), pode ajudar a compreender como seu papel profissional se define, como ele se desenvolve, e como se desenvolver junto com ele. Para uma leitura mais fácil e mais prática, tente *As regras do trabalho*, de Richard Templar (Sextante, 2006), que enfatiza que ser bom no que você faz não é suficiente se quiser ser bem-sucedido: você precisa pensar estrategicamente sobre como ser notado e progredir.

54. O fator "bem-estar" não é realmente mencionado em livros de negócios, mas acho vital levá-lo em consideração. *Buck Up: 12 Winning Secrets from the War Room*, de James Carville e Paul Begala (Simon & Schuster, 2003), oferece uma abordagem franca e ousada sobre "bajulação" do ponto de vista político, com lições que se pode aplicar ao mundo dos negócios.

55. O clássico sobre como obter simpatia é *Como fazer amigos e influenciar pessoas*, de Dale Carnegie (Companhia Editora Nacional, 1939). Também recomendo *How to Sell Yourself: Winning Techniques for Selling Yourself... Your Ideas... Your Message*, de Arch Lustberg (Career Press, 2002), que estrutura a "simpatia" como o segredo da comunicação e traz dicas sobre como usar sua expressão facial, sua voz e seu corpo para obter um efeito positivo.

56. As mulheres têm mais dificuldades em abraçar a ideia de que o trabalho é um jogo do que os homens, então esta recomendação é específica para elas, apesar de também ser relevante para qualquer um que não tenha nenhuma experiência esportiva. *Games Your Mother Never Taught You: Corporate Gamesmanship for Women*, de Betty Lehan Harragan (Warner Books, 1981), ajuda as mulheres a compreenderem que o trabalho é um jogo que os meninos aprendem desde cedo. Apesar da igualdade de sexos ter progredido muito desde a primeira edição desse livro, as questões fundamentais abordadas por ele ainda estão em jogo.

57. *O poder da fala*, de Dorothy Leeds (Record, 1994), é a melhor obra sobre oratória, mas tende a se concentrar em apresentações e discursos, e não em situações do cotidiano. Sob esse aspecto, o melhor é *The Power of Speech*, de Marie Stuttard (Barron's Educational Series, 1997), com muitas dicas e exercícios para transformar você em um orador impressionante.

Parte XII: A verdade sobre como continuar progredindo

58. *Managing the New Careerists: The Diverse Career Success Orientations of Today's Workers*, de Clyde Blooklyn Derr (Proquest Info and Learning, 1986), me ensinou muito sobre autoconhecimento. Outro texto que oferece dicas sobre esse assunto e sobre motivação profissional é o clássico *Career Anchors, Discovering Your Real Values*, de Edgar Schein (Pfeiffer, 1985), escrito pelo pai da pesquisa e pensamento sobre carreiras profissionais. Para uma abordagem mais acadêmica, recomendo o texto "Psychological success and the boundaryless Career", de Philip Mirvis e Douglas T. Hall (publicado no *Journal of Organizational Behaviour*, 15:365-380) e o livro *Careers In and Out of Organizations (Foundations for Organizational Science)*, de Douglas T. Hall (SAGE Publications, 2001), por seu panorama sobre como as profissões estão mudando no mundo moderno e as diferentes abordagens que estão sendo tomadas atualmente na orientação vocacional.

59. Minhas recomendações sobre como abordar o desafio comum mas assustador da mudança de emprego incluem *Just Promoted!: How to Survive and Thrive in Your First 12 Months As a Manager*, de Edward H. Betof (McGraw-Hill, 1992), que realmente oferece o melhor sobre como negociar no jogo de poder e na política corporativa, e *Becoming a Manager: How New Managers Master the Challenges of Leadership*, de Linda A. Hill (Harvard

Business School Press, 2003) – conselhos indispensáveis obtidos de pesquisas detalhadas e de entrevistas com 19 novos gerentes. *The First-Time Manager*, de Loren B. Belker (American Management Association, 1997), oferece uma ampla abordagem dos desafios dos cargos de responsabilidade administrativa, mostrando como ser promovido a eles.

60. *Getting Promoted: Real Strategies for Advancing Your Career*, de Harry E. Chambers (Perseus Books Groups, 1999), enfatiza que o caminho para o sucesso na carreira não passa necessariamente pela busca de promoções. Você deveria se concentrar no aprendizado e na experiência do cargo atual para conquistar um crescimento profissional real e sustentável. Desse modo, a promoção virá atrás de você quando estiver pronto para ela.

61. Os conceitos sobre quando a carreira sai dos trilhos são mais bem definidos pelo próprio Center for Creative Leadership. Três boas referências são *Preventing Derailment: What to Do Before It's Too Late*, de Michael M. Lombardo (CCL Press, 1989); *Keeping Your Career on Track: Twenty Success Strategies*, de Craig Chappelow e Jean Brittain Leslie (CCL Press, 2000); e, a partir de uma perspectiva menos pessoal, *A Look at Derailment Today: North America and Europe*, de Jean Brittain Leslie e Van Velsor (CCL Press, 1996), comparando os temas descarrilhamento e sucesso ao longo do tempo e através das culturas. Para algumas histórias, veja *High Flyers: Developing the Next Generation of Leaders*, de Morgan W. McCall Jr. (Harvard Business School Press, 1998).

62. Quando se trata de progredir, há conselhos úteis aí sobre como organizar seus pensamentos e estratégias em qualquer estágio de sua carreira. Dois que me parecem especialmente proveitosos para aqueles no meio do caminho são *The Executive Job Search: A Comprehensive Handbook for Seasoned Professionals*, de Orrin Wood (McGraw-Hill, 2003), com muitos conselhos práticos que o ajudarão a identificar e a ter certeza do próximo passo adequado para você, a partir do exato momento em que começar a pensar sobre mudar de emprego. E *Rites of Passage at $100,000 +: The Insider's Lifetime Guide to Executive Job-Changing and Faster Career Progress*, de John Lucht (Viceroy Press, 2001), oferecendo a perspectiva franca de um recrutador sobre como procurar emprego e maximizar suas chances de obter um cargo compensador e influente.

Conheça outros títulos da Editora Sextante

10 mandamentos para fracassar nos negócios

DONALD R. KEOUGH

Se você pensa que é difícil mergulhar seu negócio no mais retumbante fracasso, está redondamente enganado. Siga à risca os 10 Mandamentos de Don Keough, ex-presidente da Coca-Cola Company, e sua derrocada será líquida e certa. E muito rápida também.

Usando grandes doses de humor e de bom senso, Keough descreve os 10 comportamentos que costumam levar empresas e líderes incautos a cair nas dissimuladas garras da falência. E o mais importante: mostra como reconhecer essas armadilhas e o que fazer para evitá-las – ou escapar delas – de maneira eficiente e definitiva.

12 elementos da gestão de excelência

RODD WAGNER E JAMES K. HARTER

Um dos fatores de maior influência sobre o desempenho financeiro das empresas é o grau de comprometimento de seus funcionários. A maioria das organizações lucra menos por causa da desmotivação de seu pessoal do que por quaisquer outros motivos. Mas o que os gerentes podem fazer para motivar suas equipes?

Em busca dessa resposta, Rodd Wagner e James K. Harter analisaram mais de 10 milhões de entrevistas sobre o local de trabalho colhidas do banco de dados do Gallup. Após muitos estudos, eles chegaram a uma lista de 12 elementos capazes de melhorar o desempenho das pessoas, traçando um roteiro para a gestão de excelência.

O ponto da virada

MALCOLM GLADWELL

Você já ficou intrigado pensando no que faz com que um produto, um serviço ou mesmo atitudes virem moda da noite para o dia? Nesse livro, Malcolm Gladwell apresenta uma maneira instigante e original de entender fenômenos sociais desse tipo: vê-los como epidemias.

Partindo dessa tremenda influência que sofremos do meio, Gladwell pergunta: por que então algumas epidemias que poderiam ser "boas" não emplacam?

Sua reposta é que as pessoas podem transformar radicalmente seus comportamentos ou suas crenças desde que estejam diante do estímulo certo. E aqui ele nos mostra como identificar e até construir esses estímulos.

Fora de série – Outliers

MALCOLM GLADWELL

Costumamos acreditar que trajetórias excepcionais, como a dos gênios que revolucionam o mundo dos negócios, das artes, das ciências e dos esportes, devem-se unicamente ao talento. Mas nesse livro você verá que o universo das personalidades brilhantes esconde uma lógica muito mais fascinante e complexa do que aparenta.

Baseando-se na história de celebridades como Bill Gates, os Beatles e Mozart, Malcolm Gladwell mostra que ninguém "se faz sozinho". Todos os que se destacam por uma atuação fenomenal são, invariavelmente, pessoas que se beneficiaram de oportunidades incríveis, vantagens ocultas e heranças culturais. Tiveram a chance de aprender, trabalhar duro e interagir com o mundo de uma forma singular. Esses são os indivíduos fora de série – os *outliers*.

O monge e o executivo

JAMES C. HUNTER

Leonard Hoffman, um famoso empresário que abandonou sua brilhante carreira para se tornar monge em um mosteiro beneditino, é o personagem central dessa envolvente história criada por James C. Hunter para ensinar de forma clara e agradável os princípios fundamentais dos verdadeiros líderes.

Se você tem dificuldade em fazer com que sua equipe dê o melhor de si no trabalho e gostaria de se relacionar melhor com sua família e seus amigos, vai encontrar nesse livro personagens, ideias e discussões que vão abrir um novo horizonte em sua forma de lidar com os outros. É impossível ler esse livro sem sair transformado. *O monge e o executivo* é, sobretudo, uma lição sobre como se tornar uma pessoa melhor.

Pare de se sabotar e dê a volta por cima

FLIP FLIPPEN

O que aconteceria se, em vez de você se concentrar naquilo que já fez bem, passasse a identificar seus pontos fracos, aqueles comportamentos que já viraram hábito mas que continuam a impedir que alcance seu melhor desempenho?

Em *Pare de se sabotar e dê a volta por cima*, Flip Flippen mostra a importância do autoconhecimento para se alcançar a satisfação pessoal e sucesso profissional.

Ele acredita que, uma vez identificadas as limitações de cada personalidade, é possível superá-las de forma definitiva e atingir resultados gratificantes.

O autor analisa diversos tipos de personalidade e apresenta exemplos da vida real com os quais teve contato ao longo de sua carreira de psicoterapeuta, revelando como levou seus clientes a refletir sobre seus comportamentos limitadores e a mudar de atitude a fim de alcançar objetivos profissionais e pessoais.

O segredo de Luísa

FERNANDO DOLABELA

Com mais de 150 mil exemplares vendidos, *O segredo de Luísa* se tornou referência quando o assunto é empreendedorismo. Adotado por universidades e MBAs em todo o Brasil, o que faz esse livro ser tão especial é o fato de tratar do assunto através de uma saborosa história com trama, conflitos, reviravoltas e personagens a quem nos apegamos e para quem torcemos.

Usando como fio condutor a trajetória de Luísa, uma jovem mineira entusiasmada com a ideia de abrir uma empresa para vender a deliciosa goiabada que sua tia produz, Fernando Dolabela ensina passo a passo tudo o que é preciso saber para ir do sonho ao mercado.

Atendimento nota 10

PERFORMANCE RESEARCH ASSOCIATES

Prestar um Atendimento nota 10 é criar uma experiência inesquecível para o cliente. É suprir expectativas e satisfazer necessidades, descobrindo oportunidades de surpreender e cativar. E assim fazer com que ele volte sempre.

Com uma linguagem e ilustrações simples e bem-humoradas, *Atendimento nota 10* aborda os mais importantes aspectos envolvidos em um serviço de alta qualidade. Aqui você encontrará variadas estratégias, técnicas e dicas para prestar o melhor atendimento — pessoalmente, pela internet e pelo telefone.

Conheça os 50 Clássicos da Editora Sextante

Espiritualidade/Inspiração

A cabana, de William P. Young
Muitas vidas, muitos mestres, de Brian Weiss
Jesus, o maior psicólogo que já existiu, de Mark W. Baker
Conversando com os espíritos, de James Van Praagh
A última grande lição, de Mitch Albom
O Mestre dos Mestres, de Augusto Cury
O Poder do Agora, de Eckhart Tolle

Negócios

O monge e o executivo, de James C. Hunter
Como se tornar um líder servidor, de James C. Hunter
Jesus, o maior líder que já existiu, de Laurie Beth Jones
O ócio criativo, de Domenico De Masi
Faça o que tem de ser feito, de Bob Nelson
A hora da verdade, de Jan Carlzon
Transformando suor em ouro, de Bernardinho

Ficção

O Código Da Vinci, de Dan Brown
Ponto de Impacto, de Dan Brown
Anjos e Demônios, de Dan Brown
Fortaleza Digital, de Dan Brown
As cinco pessoas que você encontra no céu, de Mitch Albom
O guardião de memórias, de Kim Edwards
A conspiração franciscana, de John Sack

Livros de bolso

Dez leis para ser feliz, de Augusto Cury
Seja líder de si mesmo, de Augusto Cury
Você é insubstituível, de Augusto Cury
Palavras de sabedoria, de Sua Santidade, o Dalai-Lama
A vida é bela, de Dominique Glocheux
Filtro solar, de Mary Schmich
Posso conseguir o que desejo, de Iyanla Vanzant
Quem acredita sempre alcança, de Peter McWilliams

Autoajuda

Por que os homens fazem sexo e as mulheres fazem amor?, de Allan e Barbara Pease
Desvendando os segredos da linguagem corporal, de Allan e Barbara Pease
Por que os homens mentem e as mulheres choram?, de Allan e Barbara Pease
Nunca desista de seus sonhos, de Augusto Cury
Pais brilhantes, professores fascinantes, de Augusto Cury
Não leve a vida tão a sério, de Hugh Prather
Mantenha o seu cérebro vivo, de Laurence Katz e Manning Rubin
A Boa Sorte, de Álex Rovira Celma e Fernando Trías de Bes
Enquanto o amor não vem, de Iyanla Vanzant
O poder da paciência, de M. J. Ryan
Os segredos da mente milionária, de Harv T. Ecker

Coleção Você S.A.

Aprendendo a lidar com pessoas difíceis, de Rick Brinkman e Rick Kirschner
Como administrar seu tempo, de Marc Mancini
Como motivar sua equipe, de Anne Bruce

Coleção Autoestima

O poder das afirmações positivas, de Louise Hay
Histórias para aquecer o coração, de Jack Canfield e Mark Victor Hansen
Lições sobre amar e viver, de Morrie Schwartz

Referência

1001 filmes para ver antes de morrer, de Steven Jay Schneider
1001 discos para ouvir antes de morrer, de Robert Dimery
1001 vinhos para beber antes de morrer, de Neil Beckett
1.000 lugares para conhecer antes de morrer, de Patricia Schultz

Informações sobre os próximos lançamentos

Para receber informações sobre os lançamentos da EDITORA SEXTANTE, basta cadastrar-se diretamente no site www.sextante.com.br

Para saber mais sobre nossos títulos e autores, e enviar seus comentários sobre este livro, visite o nosso site www.sextante.com.br ou mande um e-mail para atendimento@esextante.com.br

EDITORA SEXTANTE

Rua Voluntários da Pátria, 45/1.404 – Botafogo

Rio de Janeiro – RJ – 22270-000 – Brasil

Telefone: (21) 2538-4100 – Fax: (21) 2286-9244

E-mail: atendimento@esextante.com.br